Eine große Stadt in Bildern

BESUCH
Seiner Königlichen Hoheit
des Vizekönigs und Ministerpräsidenten
des Königreichs
JEMEN
PRINZ SEIF EL-ISLAM HASSAN
Köln, den 20. Februar 1953

WIEDERERÖFFNUNG
des
GÜRZENICH

2. OKTOBER 1955

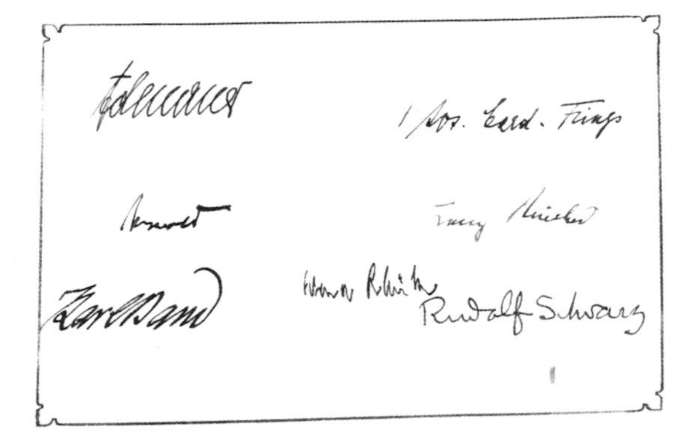

Besuch
Seiner Exzellenz
des Herrn Präsidenten
der Republik Senegal
· LEOPOLD SEDAR SENGHOR ·

9. November 1961

Besuch
Seiner Exzellenz
des Präsidenten
der Vereinigten Staaten von Amerika
HERRN JOHN F. KENNEDY.

23. JUNI 1963

27. 5. 64

DER EHRENBÜRGER
unserer Stadt
HERR BUNDESKANZLER A.D.
Dr. KONRAD ADENAUER
wurde heute am Tage seines offiziellen Besuches in Köln gebeten, sich in das Goldene Buch einzutragen.

KÖLN, DEN 27. MAI 1964.

OBERBÜRGERMEISTER OBERSTADTDIREKTOR

BESUCH
Ihrer Majestät
KÖNIGIN ELIZABETH II.

Elizabeth R
May 25th 1965
Philip

und
Seiner Königlichen Hoheit
PRINZ PHILIP,
Herzog von Edinburgh
25. MAI 1965

Eine große Stadt in Bilden · Celia Körber-Leupold · Klaus Zöller

Greven Verlag Köln

Inhalt

Köln – eine große Stadt wie keine andere

Sind sie sich wirklich so ähnlich, die großen Städte Europas? Gewiß, in den Zentren preisen überall die gleichen Leuchtreklamen Produkte derselben Hersteller an, Kameras und Kopfschmerztabletten, die Kreationen berühmter Schneider oder Uhrmacher. Da werben internationale Fluggesellschaften für die teure Reise und Imbißketten für die billige Schnellmahlzeit. ... Doch hinter dieser bunten, glitzernden Fassade erschließt sich irgendwann doch die Eigenart, die Unverwechselbarkeit einer Stadt.

In Köln geschieht das schnell; denn Köln hat den Dom. Wo immer eine Straße eine Biegung macht, wo sich zwischen großen Gebäuden eine Lücke auftut, fällt der Blick auf die Kathedrale. In Köln, sagen Besucher, sei es fast unmöglich, sich in der Innenstadt zu verlaufen. Immer wieder erschienen ja die Türme – unübersehbare Wegweiser.

Der Dom mit seinen 157 Metern Höhe ist nicht mehr das höchste Bauwerk der Stadt. Der Fernmeldeturm »Colonius« am Rand der City hat ihm mit 243 Metern den Rang abgelaufen. Doch zum Wahrzeichen der Stadt ist er deshalb nicht geworden. Das ist und bleibt der Dom. Die Kölner lieben ihn; manche bekommen geradezu Entzugserscheinungen, wenn sie ihn eine Weile nicht sehen – und wenn der Urlaub noch so schön ist. Das weiß sogar die Kriminalpolizei. Sie macht sich keine großen Sorgen, wenn sich ein kölscher Ganove mal aus ihrem Einflußbereich absetzt: »Der kommt schon wieder, lange hält er es ohne den Dom nicht aus.«

Gleichwohl sind viele Kölner nicht sehr glücklich, wenn ihre Heimat als »Domstadt« bezeichnet wird. Eine solche Charakterisierung widerstrebt ihrem liberalen Selbstverständnis. Die hohe (und erst recht die an der Basis tätige) Geistlichkeit bringt Verständnis dafür auf. »Nehmen Sie es doch nicht so genau, unser Herrgott tut das auch nicht«, bekam einer ihrer Vertreter einmal zu hören. Worauf er die Menschen, die nicht den strengen, strafenden, sondern den barmherzigen Gott verehren, »nicht römisch-katholisch, sondern kölsch-katholisch« nannte. Der Priester, der diese Definition fand, war der inzwischen verstorbene Heinz-Werner Ketzer, Dompropst in Köln und als »Ritter des Ordens wider den tierischen Ernst« weit über die Stadtgrenze hinaus bekannt.

Der jeweilige Dompropst ist übrigens ein wichtiger Mann in der Stadt. Er ist sozusagen der Vorstandsvorsitzende des weitgehend eigenständigen Unternehmens »Dom«; jeder, der die Kathedrale offiziell besuchen will, muß sich bei ihm anmelden. Selbst der Kardinal. Wichtigste Aufgabe des vom Propst geleiteten Domkapitels ist die Erhaltung der Kathedrale. »Der Dom wird nie fertig«, heißt es in Köln. Das Wort ist viele Jahrhunderte alt. 1248 (ein Datum, das sich jedes Schulkind leicht merken kann, weil es mit der kleinsten Zahl beginnt, worauf immer die doppelt so hohe folgt) wurde der Grundstein für den Dom gelegt. 1450 waren der Südturm und das nördliche Seitenschiff fertig, 1560 wurde die Arbeit eingestellt. Fast 300 Jahre blieb ein hölzerner Kran, ein technisches Wunderwerk für die damalige Zeit, das Wahrzeichen des unfertigen Baus. Erst Mitte des 19. Jahrhunderts, 1842, legte der Preußenkönig Friedrich Wilhelm IV. den Grundstein für den Weiterbau. Aus ganz Deutschland trafen Spenden für die Vollendung ein; sie war zu einem nationalen Anliegen geworden. In Köln entwickelte sich der heute noch bestehende Dombauverein zu einer großen Bürgerinitiative; die Zahl der Mitglieder war so hoch, daß die Versammlungen unter freiem Himmel stattfinden mußten. Es gab keinen ausreichend großen Saal.

Zwar förderte der König den Dom, aber beliebt waren die Preußen nicht

Wenn auch der kunstsinnige Preußenkönig sehr für den Dom engagiert war – mit den Preußen hatten es die Kölner nicht. Der korrekte, sparsame und dazu auch noch protestantische Beamtenstaat lag ihnen nicht. Sie waren nach dem Wiener Kongreß (1815) zu preußischen Untertanen geworden, was den Kölner Bankier Abraham Schaafhausen zu der entsetzten Bemerkung veranlaßte: »Jeses, Maria, Joseph, do hierode mer ävver en en ärm Familich« (da heiraten wir aber in eine arme Familie). Eine Anekdote berichtet von einem kölschen Anwalt, der einen Prozeß gegen einen zugewanderten kleinen Dieb zum Anlaß nahm, seine Abneigung gegen die von den Preußen eingesetzten Richter und Staatsanwälte kundzutun. Vor vielen gleichgesinnten Zuhörern soll der Verteidiger sein Plädoyer mit den Worten begonnen haben: »Da kommen nun die Leute aus dem Osten, keiner hat sie gerufen, niemand will sie hier haben...« Die Zuhörer, die schnell gemerkt hatten, daß nicht der Mandant gemeint war, hätten sich das Lachen nur mühsam verkneifen können. Und das Gericht hätte seinen ganzen Zorn auf den kleinen Dieb konzentriert, der eine ungewöhnlich harte Strafe bekommen haben soll.

Es gab freilich nicht nur Preußenhaß in Köln. Nicht

wenige Bürger versuchten, sich mit den »Leuten aus dem Osten«, mit den Regierenden in Berlin zumal, gutzustellen. Bei Königsbesuchen gab es oft heftiges Gerangel um die Einladungskarten. Doch auch hier sind Beispiele von Bürgerstolz vor Fürsten und Adel überliefert. Als einmal im Kölner Regierungspräsidium rheinische Damen der Prinzessin Augusta vorgestellt wurden, sagte die Oberhofmeisterin: »Hier, Majestät, hört der Adelsstand auf.« Worauf die Bürgersfrau Lilla Deichmann mit den Worten reagierte: »Und hier, Majestät, fängt der Wohlstand an.«

Die Skepsis zwischen Preußen und Kölnern war übrigens durchaus zweiseitig. Und dies machte sich für die Stadt einige Male nachteilig bemerkbar. Daß der Stadt Köln 1831 das Stapelrecht genommen wurde, jenes Privileg, auf dem Wasserweg transportierte Waren zu lagern und sich dabei einer Art Vorkaufsrechts zu bedienen, ist den Preußen allerdings nicht anzulasten. Sie führten nur einen Beschluß des Wiener Kongresses aus, der den freien Handel auf und an den europäischen Strömen garantierte. Doch es gab ein paar andere, die Entwicklung der Stadt sehr hemmende preußische Entscheidungen. Den neuen Herren der Rheinlande erschienen ihre kölnischen Untertanen, diese leichtlebigen und dabei auch noch selbstbewußten Leute, recht dubios. So bestimmten sie denn nicht die größte Stadt am Rhein, sondern das viel kleinere Koblenz zum Sitz des Oberpräsidiums der Rheinprovinz. Auch dem Ansuchen der Stadt Köln, ihre traditionsreiche, 1798 aufgelöste Universität wieder errichten zu dürfen, wurde nicht stattgegeben. Nach langen Auseinandersetzungen entschied im Mai 1818 der König in Berlin, Bonn solle Universitätsstadt werden. Schließlich scheiterten auch Kölner Initiativen, nach dem Vorbild von Frankfurt und Leipzig eine Messe einzurichten. Dies war allerdings wohl weniger ein Affront gegen die Großstadt am Rhein als eine Fehleinschätzung der Berliner Ministerialbürokratie. Sie glaubte, in Zeiten, in denen Dampfschiffe und Eisenbahnen die Handelspartner einander nähergebracht hätten, seien Messen ganz überflüssig.

1839 fuhr die erste Eisenbahn, aus Müngersdorf kommend, nach Köln. Das Streckennetz wurde von mehreren privaten Gesellschaften zügig ausgebaut.

Die »Königlich preußische Eisenbahnverwaltung«, Vorläufer der Reichs- und der heutigen Bundesbahn, mußte später viele Millionen aufwenden, um das Netz in eigene Regie übernehmen zu können. Daß die staatliche Gesellschaft die erste Eisenbahnbrücke, wegen ihrer Kastengitterform »Muusfall« (Mausefalle) genannt, unmittelbar auf den Dom zuführte und ganz in dessen Nähe den Centralbahnhof errichtete, ist ein Erbe, an dem die Stadt Köln bis heute krankt. Der Bahndamm, auf dem die Schienenstränge ins Linksrheinische verlaufen, durchschneidet nicht nur das Gebiet der Innenstadt und erschwert so manche großzügige Planung. Er bringt auch erheblichen Anliegerverkehr ins Stadtzentrum. Hinzu kam, daß die hundert Jahre lang mit Dampf betriebenen Züge Unmengen Abgase ausstießen, die dem Sandstein der Domfassade schwere Schäden zufügten. Hier ist erst eine Besserung eingetreten, nachdem die Bundesbahn ihren Betrieb auf Fahrstrom umgestellt hatte. Der Dom leidet freilich unter der Luftverschmutzung in der Kölner Innenstadt ohnehin genug.

Bemühungen, den Kölner Hauptbahnhof zu verlegen, sind im Lauf der Jahrzehnte immer wieder gescheitert. Nach dem Zweiten Weltkrieg hatte der Rat der Stadt einstimmig die Verlegung beschlossen – doch fehlte das Geld, das Vorhaben auch auszuführen.

Ein Platz für Heinrich Böll, aber nicht vor dem alten Justizgebäude

Neben dem Hauptbahnhof verdankt Köln das Justizgebäude in der Innenstadt den Preußen. Als einzige wichtige Provinzialbehörde wiesen sie der Stadt das Appellationsgericht, den Appellhof, zu, aus dem später das Oberlandesgericht wurde. Aus eher peinlichem Anlaß wurde dies 1985 den Kölnern ins Gedächtnis gerufen. Lokalpolitiker diskutierten unangemessen lange darüber, wo sie dem verstorbenen Ehrenbürger und Nobelpreisträger Heinrich Böll eine Straße oder einen Platz widmen sollten. Dabei wurde auch an eine Umbenennung des Appellhofplatzes gedacht – worauf sich heftige Proteste erhoben. Zwar sind die Gerichte längst in ein Hochhaus an der Luxemburger Straße umgezogen; die Justiz nutzt den historischen Bau aber immer noch. Sie engagierte sich gegen eine Namensänderung, denn sie wollte die Erinnerung an diese für die Rechtsgeschichte bedeutsame Einrichtung unbedingt wachhalten.

Für den Autor Heinrich Böll fand sich ein anderer, angemessenerer Platz. Er liegt zwischen Dom und Rhein über dem unterirdischen Konzertsaal, der Kölner Philharmonie, unmittelbar am neuen Wallraf-Richartz-Museum/Museum Ludwig. Dieser 1986 seiner Bestimmung übergebene Bau, der sowohl alter, als auch zeitgenössischer Kunst eine Heimstatt bietet, hat die Kölner während der Planungs- und Bauzeit in den siebziger und achtziger Jahren heftig erregt. Die einen priesen die moderne Architektur und vor allem auch die

Möglichkeiten, wie dort Kunst präsentiert werden kann, in den höchsten Tönen. Die anderen verdammten den Komplex, der ihrer Meinung nach die Domumgebung verschandele und »an Gruppensex zwischen Güterwaggons« erinnere.
Sie haben sich oft mit ihren Bauwerken schwergetan, die Kölner. Konrad Adenauer, der später der erste Kanzler der Bundesrepublik Deutschland wurde, schaffte während seiner Amtszeit als Kölner Oberbürgermeister 1924 endlich, was seinen Vorgängern verwehrt geblieben war: die Gründung einer Messegesellschaft. Das in der Notzeit nach dem Ersten Weltkrieg entstandene Unternehmen hatte nicht viel Geld, die Ausstellungsgebäude sahen entsprechend einfach aus. »Adenauers Pferdeställe« spotteten die Kölner. 1928, als die Messe mit ihrer internationalen Medienausstellung »Pressa« um weltweites Echo bemüht war (und es auch erreichte), wurden die »Pferdeställe« modernisiert und in einen großen Klinkerbau einbezogen. Der gefiel den Kölnern aber auch nicht, da sei ja eine neue, ziemlich häßliche Stadtmauer entstanden, fanden sie. Inzwischen sind diese Messebauten zu Denkmälern erhoben. Nicht einmal innen dürfen Stützen entfernt werden, weil sie den Denkmalschützern als typisch für die Bautechnik in den zwanziger Jahren erscheinen. Das macht der Messegesellschaft, deren Kunden auf weiträumige Ausstellungshallen Wert legen, einiges Kopfzerbrechen.
Konrad Adenauers Idee hat im übrigen reiche Früchte getragen. Die KölnMesse floriert. In einigen Branchen, bei Nahrungs- und Genußmitteln zum Beispiel oder in der Fotografie mit ihrem weiten Umfeld, hält sie die Spitzenposition in der Welt. Hinzu kommen zahlreiche Spezialausstellungen von internationalem Ruf. Was Hersteller so unterschiedlicher Produkte wie Herrenmode oder Kinderkleidung, Computer oder Möbel, Sportartikel oder Süßwaren auf den Markt bringen wollen – sie stellen es in Köln vor. Die Stadt profitiert davon. Eine runde Milliarde Mark bringen Aussteller und Besucher und natürlich die investitionsfreudige Messegesellschaft selbst Jahr für Jahr in den Kölner Wirtschaftsraum.
Die Messestadt Köln ist auch eine Hotelstadt. Zu alteingesessenen Häusern mit guten Namen wie dem Dom-Hotel und dem Excelsior Hotel Ernst haben sich die meisten der in der Welt bekannten Hotelketten gesellt. Das begann mit dem Inter-Continental und hörte mit dem Hyatt-Konzern, der von Köln aus die Bundesrepublik erobern will, noch längst nicht auf.
Gefragt, warum solche kühl rechnenden Unternehmen sich gerade in dieser Stadt konzentrieren, wiesen sie auf Wirtschaftlichkeitsberechnungen hin. Sie sind von unterschiedlichen Gutachtern erstellt worden, und in all den Untersuchungen steht, daß Köln nicht nur als Wirtschafts- und Handelszentrum, sondern nicht zuletzt auch als Kulturstadt Besucher anlocke. Fast hundert Galerien, große Kunstmessen und Auktionen bringen in der Tat viele Sammler und andere Interessierte in die Stadt. Köln könne sich, sagen Experten, auf dem Gebiet der bildenden Kunst durchaus mit London, Paris und sogar New York messen. Junge Kölner Maler, die in den siebziger Jahren noch ein eher kümmerliches Dasein in billigen Ateliers des Industrievororts Mülheim fristeten, konnten einige Jahre später gar nicht so viel produzieren, wie ihnen abgefragt wurde. Hinzu kommen die Museen sowie der Fachbereich Kunst und Design, der aus den berühmten Kölner Werkschulen hervorgegangen ist, innerhalb der Fachhochschule Köln eine sehr eigenständige Rolle spielte und sie auch in der neugegründeten Medienakademie spielen will.

Das Grabmal des unbekannten Intendanten und zahlreiche kleine Bühnen

Lebhaft ist auch die Theaterszene. Intendanten wie Maisch, Schuh, Assmann, Heyme, Flimm und Hampe haben nach dem Krieg den Ruf der Städtischen Bühnen geprägt. Schauspiel- und Opernhaus stehen in unmittelbarer Nachbarschaft am Offenbachplatz. Zwei 34 Meter hohe Terrassenbauten, in denen Werkstätten und Proberäume untergebracht sind, flankieren das Hauptgebäude – »Grabmal des unbekannten Intendanten« tauften die Kölner spöttelnd das eigenwillige Bauwerk des Architekten Riphahn. In der Theater-Schlosserei ist eine Experimentierbühne für modernes Schauspiel eingerichtet, im Saal des Rautenstrauch-Joest-Museums für Völkerkunde haben sich die Kammerspiele etabliert.
Doch nicht nur die hochsubventionierten Städtischen Bühnen machen den Reiz der Kölner Theaterlandschaft aus. Neben ihnen sorgt eine Vielzahl von Bühnen für Unterhaltung und Diskussionsstoff, die einen heiter, die anderen frech und aggressiv. Da ist das seit Jahrzehnten in Köln ansässige Volkstheater Millowitsch, da ist das auf flotte Boulevardstücke spezialisierte Theater am Dom, da sind die Gastspiele von Milan Sladeks wohl bestem deutschen Pantomimentheater, da ist »Der Keller«, auf dessen Brettern viele berühmt gewordene Schauspieler und Regisseure sich die ersten Sporen verdienten, da ist das ständig in Köln spielende Kabarett »Die Machtwächter«, und da gibt

es das »Senftöpfchen« mit seinen speziellen Kleinkunstgastspielen von der Talkshow über den Liedermacher bis zur Travestie. In der »Comedia Colonia«, einem umgebauten Supermarkt, treten junge, engagierte Musik- und Theatergruppen auf, andere Spielstätten gibt es in einer alten Feuerwache, in Hinterzimmern von Gaststätten, in ehemaligen Fabrikräumen...

Als Besonderheit muß die älteste Puppenbühne im deutschsprachigen Raum erwähnt werden, das Hänneschen-Theater, das seit Mitte der zwanziger Jahre offiziell zu den Bühnen der Stadt Köln gehört. Und interessant ist auch, daß der Kölner Männer-Gesang-Verein, einer der besten deutschen Chöre, jeweils während der Karnevalszeit die ernste Musik hintanstellt und ein »Divertissementchen« aufführt. Mit den fröhlichen, parodistischen Singspielen, in denen auch die Frauenrollen von Männern besetzt sind, geht die Spielgemeinschaft für sechs, acht Wochen ins feine Opernhaus.

Was fürs Theater gilt, trifft auch auf die Musikszene zu. Das städtische Gürzenichorchester und das Orchester des Westdeutschen Rundfunks haben internationales Niveau; Namen wie Stockhausen und Zimmermann stehen für den Ruf Kölns als Stadt der modernen Musik; in der neuen Kölner Philharmonie gastieren Orchester und Solisten aus der ganzen Welt. Und am Rand dieser Kristallisationspunkte existieren kaum zu zählende musizierende Gruppen. Nicht zuletzt die Musikhochschule sorgt für immer neuen Nachwuchs. Die Bandbreite reicht von den jungen Männern und Frauen, die auf historischen Instrumenten Barockmusik spielen, bis zu dem talentierten Geiger mit Adelstitel, der den Frack gegen Jeans und Pullover ausgetauscht hat und auf der Straße revolutionäre Lieder fiedelt. Manchmal wird er festgenommen. Dann gibt es Rangeleien und auch schon mal eine Anzeige wegen Widerstands. Aber die Kölner Richter urteilen milde.

Große Schallplattenfirmen produzieren in Köln. Zahlreiche Musiker haben sich deshalb in der Stadt niedergelassen.

Und dann gibt es noch die spezielle kölsche Rock- und Pop-Szene, zu deren prominentesten Vertretern die Gruppen BAP und Bläck Fööss gehören. Sie singen Dialekt und werden dennoch im ganzen Bundesgebiet und sogar im Ausland verstanden. Daß in zahlreichen Kneipen und Sälen Rock- und Pop-Musik gemacht wird, daß es dort swingt und jazzt, daß auf dem Platz vor dem Dom und gelegentlich auch im Stadion Open-air-Festivals stattfinden und daß kaum ein durch Europa reisender Popstar die Kölner Sporthalle ausläßt, macht Köln zum Mekka der Freunde dieser Musik.

Vierzig Jahre nach dem Krieg waren die Romanischen Kirchen wiederhergestellt

Die Kulturstadt Köln hat vielen etwas zu bieten. Zu ihren Kleinodien gehören die romanischen Kirchen. 1985, 40 Jahre nach dem Ende des Zweiten Weltkrieges, in dem die Stadt so schwer gelitten hatte, feierte Köln das »Jahr der Romanischen Kirchen«. Zwölf im frühen Mittelalter entstandene Gotteshäuser waren aus den Trümmern wiedererstanden und mit sehr viel Liebe und Sorgfalt so weit wiederhergestellt worden, daß sie (ganz oder zumindest teilweise) wieder für Gläubige und Kunstinteressierte geöffnet werden konnten. 150 Millionen Mark waren aus den Kassen der katholischen Kirche, der Stadt, des Landes und des Bundes in den Wiederaufbau investiert worden. »Das ist viel Geld«, sagte der damals amtierende Kölner Kardinal Joseph Höffner einmal, »aber bedenken Sie doch auch, daß diese Summe in der Bundesrepublik Deutschland Tag für Tag für Alkohol und Zigaretten ausgegeben wird...«

Die Menschen pilgerten in Scharen in die romanischen Kirchen, mehr als 1000 Führungen fanden während des Festjahres statt, die Gottesdienste waren überfüllt, Karten für 300 geistliche Konzerte fast immer vergriffen. Zeitungen in aller Welt berichteten über die sakralen Bauten und leiteten zusätzliche Besucherströme in die Stadt. Hiltrud Kier, als Kölner Stadtkonservatorin sehr für die Restaurierung engagiert, schilderte in einem Buch, warum gerade Köln über so viele Kleinodien mittelalterlicher Kirchenbaukunst verfügt. Sie berichtet vom Reichtum der Handelsmetropole Köln im Mittelalter zwischen 800 und 1500 und von der Freude der Bürger sowie der Klöster, Stifte und Kirchenfürsten, einen Teil dieses Reichtums zur höheren Ehre Gottes (und wohl auch zur Pflege des eigenen Ansehens) für aufwendige Bauten auszugeben. Teure Materialien wurden verwendet und die besten Architekten beauftragt.

Auch in anderen Städten hat es schöne romanische Kirchen gegeben, doch viele von ihnen sind nicht mehr erhalten. Sie wurden, vor allem in der baufreudigen Barockzeit, durch Neubauten ersetzt. Dafür aber fehlte in Köln das Geld. Als sich der Handel nach der Entdeckung neuer Erdteile immer mehr von den Flüssen weg auf die See verlagerte, verarmten viele Kölner Familien, die Stiftungen an die Kirche flossen nicht mehr so reichlich. Hinzu kam, daß die Kölner sich mit ihren Erzbischöfen, die im Mittelalter ja auch die weltliche Macht verkörperten, nicht besonders gut verstanden. Nach der Schlacht bei Worringen (1288) wurde

die Residenz der Erzbischöfe endgültig für lange Zeit von Köln nach außerhalb verlegt. Deshalb bekam die Stadt auch nicht solche Prachtbauten, Schlösser und Kirchen wie die Residenzstädte Bonn und Brühl.
Bei der Schlacht von Worringen ging es übrigens nicht in erster Linie um eine Auseinandersetzung zwischen Bürgern und Bischof. Hier war hohe Politik im Spiel. Fürsten fochten Erbstreitigkeiten aus. Die Kölner ergriffen Partei, weil sie in ihrer unmittelbaren Nachbarschaft keine neue Machtkonzentration wünschten – aber auch, weil sie eine günstige Gelegenheit sahen, sich der kirchlichen Obrigkeit zu entledigen.
Schon früher hatte es Auseinandersetzungen zwischen den Kölnern und ihren Bischöfen gegeben. In der Osterwoche des Jahres 1074 erhoben sich Kaufleute gegen den Erzbischof Anno, der einen Gast standesgemäß rheinabwärts geleiten wollte und zu diesem Zweck kurzerhand ein Schiff beschlagnahmte. Die Besitzer ließen sich das nicht gefallen, sie holten Hilfe, es gab einen Aufstand. Anno konnte mit Mühe und Not in den Dom flüchten. Von dort ging er nach Neuss, sammelte bewaffnete Männer um sich und eroberte Köln zurück. Die Aufrührer wurden grausam bestraft. Anno, ein geschickter Staatsmann, der als Vormund des minderjährigen Heinrich IV. praktisch die Reichsgewalt ausübte, hat sich durch Kirchenbauten in und außerhalb der Stadt manches Denkmal gesetzt. Er würde heute womöglich als Baulöwe bezeichnet, und wie diese war auch er nicht gerade »pingelich«, wenn es galt, Geld für die Finanzierung zu beschaffen. So holte er kurzerhand und gegen den Willen des Abtes die Leiche der im Kloster Brauweiler verstorbenen polnischen Exil-Königin Richeza nach Köln – und damit auch ihr Erbteil. Sie brauche eine würdigere Begräbnisstätte, begründete Anno seinen Handstreich und ließ sie in der von ihm erbauten Stiftskirche St. Maria ad Gradus in unmittelbarer Nähe des Domes beerdigen. Nach dem (heute von Kunsthistorikern sehr beklagten) Abbruch dieser Kirche wurde das Grab der Königin in den Dom verlegt. Ihr Sarkophag steht dort noch heute in der Johanneskapelle. Den Dom übrigens hatte Richeza immer geliebt. Eine Inschrift erinnert daran, daß sie jährlich 60 Bündel Holz zur Heizung der Sakristei geliefert hat.
Zu den bedeutenden Bauleistungen des Erzbischofs Anno gehört die Renovierung und Erweiterung der aus dem 4. Jahrhundert stammenden Kirche St. Gereon; eine Legende berichtet, er sei im Traum dazu von heiligen Märtyrern verpflichtet worden. Ein weiterer von ihm veranlaßter Kirchenbau ist der von St. Georg. Hier hatte er auch nach dem brutal niedergeschlagenen Aufstand der Kölner Kaufleute einen Dankgottesdienst »für Errettung der Stadt aus der Gewalt des Teufels« gefeiert. Die Stadtkonservatorin stellt eine Verbindung her zwischen St. Georg, dem Ritter, der mutig einen Drachen tötete, und der Polizei, die gegenüber dieser Kirche in einem Hochhaus untergebracht ist. Der Standort hat Tradition; an dieser Stelle gab es schon einmal eine Polizeistation, vielleicht die älteste Kölns – ein Wachhaus der Römer. Es wurde bei Ausgrabungen unter St. Georg entdeckt.
Zwölf Gotteshäuser bilden den »Kranz der romanischen Kirchen«, den die Stadt als besonders wertvollen Schmuck pflegt und bewahrt: St. Severin; St. Pantaleon, wo die aus Konstantinopel stammende Kaiserin Theophanu begraben liegt; St. Georg; die alte Schifferkirche St. Maria Lyskirchen, die alljährlich in ihrer Weihnachtskrippe kölnisches, durchaus weltliches Hafenmilieu vorzeigt; St. Maria im Kapitol mit einem wunderschönen hölzernen Portal aus dem Jahr 1065, auf dem die Lebensgeschichte Jesu dargestellt ist; St. Cäcilien (heute Schnütgen-Museum); Groß St. Martin, das geistliche Zentrum in Köln lebender ausländischer Katholiken; St. Aposteln, ruhender Pol am verkehrsumbrandeten Neumarkt; St. Andreas mit dem Grab des Heiligen Albertus Magnus, vor dem 1980 Papst Johannes Paul II. im Gebet niederkniete; St. Geron; St. Ursula, in der die Legende vom Märtyrertod der im Kölner Stadtwappen durch elf Flammen symbolisierten elftausend Jungfrauen wachgehalten wird; und schließlich St. Kunibert, wo der Übergang von der Romanik zur Gotik besonders deutlich spürbar wird. Neben diesem »Kranz« finden sich in Kölner Stadtteilen weitere kleinere romanische Kirchen, die zu entdecken sich lohnt.

Die selbstbewußten Kölner lavierten geschickt zwischen den Machtblöcken

Als der Kirchenbau in Köln in hoher Blüte stand, als Handelsbeziehungen mit ganz Europa, vornehmlich mit England, die Stadt reich machten, wollten Könige und Kaiser vom Reichtum Kölns profitieren. Fürsten, Grafen und, wie gesagt, die Erzbischöfe versuchten, die Stadt unter ihren Einfluß zu bringen. Die selbstbewußten Kölner Bürger lavierten meist recht geschickt zwischen den Machtblöcken. Sie sahen sich gleichwohl genötigt, Verteidigungspolitik zu betreiben. Die Stadt war über die von den Römern gebauten Mauern längst hinausgewachsen, neue Stadtteile wie die Bezirke um St. Severin, St. Pantaleon, St. Mauritius und St. Gereon mußten vor Feinden geschützt werden. Es wurden Wälle und Grä-

ben gebaut (daran erinnern noch heute Straßennamen). Und schließlich entstand ab 1180 die mittelalterliche Stadtmauer mit zwölf großen Toren, vielen Pforten und zahlreichen Wehrtürmen. Köln galt als unüberwindlich; nach dem Vorbild seiner Mauern wurden Befestigungsanlagen in anderen Städten, etwa in Aachen, Bonn, Neuss und Andernach, errichtet.
Gegen Verrat allerdings konnte auch die Mauer nicht schützen. Die Legende berichtet von der ruchlosen Tat des Schusters Haveneit (Habenichts), der für einen Lohn von 25 Mark (eine Mark entsprach 232 g Silber) in der Nähe der heute noch erhaltenen Ulrepforte einen Tunnel unter der Befestigungsanlage gegraben und in der Nacht vom 14. zum 15. Oktober 1268 die Feinde eingelassen haben soll. Es ging um einen Streit zwischen zwei wohlhabenden Kölner Geschlechtern, den Overstolzen und den Weisen. Die Weisen, die sich mit dem damals in Bonn residierenden Erzbischof Engelbert verbündet hatten, sollen durch das Schlupfloch einige tausend Bewaffnete in die Stadt gebracht haben. Dennoch verloren sie den Kampf. Allerdings kam Matthias Overstolz, der Anführer der Verteidiger, ums Leben. Ein Mundartgedicht berichtet, daß auch der verräterische Schuster seinem Schicksal nicht entging: »Un och dä Lump, dä Habenix, dä dat hät angefange, da krät nochdrächlich noch sing Fett. Se han en opjehange.« Ob es wirklich so war, ist nicht belegt. An die blutige Schlacht aber erinnert bis heute eine Gedenktafel, die der Rat der Stadt 1360, etwa 100 Jahre nach dem Ereignis, an der Stadtmauer anbringen ließ. Dieses älteste erhaltene Profandenkmal Kölns wird im Stadtmuseum bewahrt. Eine Kopie an der Mauer steht unter der Obhut einer Karnevalsgesellschaft, der Prinzen-Garde. Mehrere Karnevalsvereine haben von der Stadt Türme der mittelalterlichen Mauer gepachtet, sie mit großem finanziellen Aufwand und denkmalpflegerischer Akribie restauriert und dort ihre Standquartiere eingerichtet. So demonstrieren sie, daß sie sich nicht nur der Narretei verschrieben haben, sondern auch der Pflege der Stadtkultur.
Nur einige wenige Tore und Türme blieben erhalten, als die mittelalterliche Stadtmauer geschleift wurde. Zwischen 1816 und 1855 war die Einwohnerzahl von 50 000 auf 107 000 gewachsen; längst waren Felder und Weingärten innerhalb der Stadtmauer bebaut, es fehlte an Platz für den Wohnungsbau, für Handels- und Handwerksbetriebe. Doch das Vorhaben, die Mauer zu sprengen, um die Stadt erweitern zu können, erwies sich als schwierig. Köln war preußische Festung, dem Militär war an dem Bollwerk gelegen. Doch schließlich konnte die Stadt die mittelalterliche Mauer zum Preis von fast 12 Millionen Mark vom Militärfiskus erwerben. Unter dem Bürgermeister Dr. Hermann Becker (»Was unsere Altvorderen bauen mußten, damit Cöln groß würde, müssen wir sprengen, damit Cöln nicht klein werde«) wurde am 11. Juni 1881 die erste Bresche in die Stadtmauer geschlagen. Jenseits der Mauer hinter den als breite Boulevards angelegten Ringstraßen entstand die Neustadt. Viele der damals gebauten vier- und fünfgeschossigen Bürgerhäuser sanken im Zweiten Weltkrieg in Schutt und Asche; die erhalten gebliebenen werden unter teils sanftem, teils massivem Druck der Stadt von ihren Eigentümern liebevoll gepflegt. Wer heute einen Altbau aus der Zeit vor oder kurz nach der Jahrhundertwende einreißen will, muß schon sehr gute Gründe haben und um sein Vorhaben kämpfen.

Die Häuser aus dem Mittelalter wurden im alten Stil wiederaufgebaut

Mit ganz besonderer Fürsorge werden die wenigen Profanbauten behandelt, die aus dem Mittelalter stammen. Wenn auch nicht immer die wirklich alte Bausubstanz erhalten geblieben ist, so wurden die Gebäude doch im alten Stil wiederaufgebaut, etwa das Haus Balchem aus dem Jahr 1676 im Severinsviertel. Es war als Brauhaus errichtet worden in gediegener, behäbig-barocker Form. Der reichverzierte, von zwei Säulen getragene Erker über dem Haupteingang zeugt davon, daß die Erbauer keine armen Leute waren. Heute ist dort eine Bildungseinrichtung untergebracht. Sehr viel aufwendiger wirkt das Overstolzenhaus aus dem 13. Jahrhundert. Es war der Sitz einer der reichsten Kölner Familien. Das Gebäude mit dem Stufengiebel enthielt vier Speicher- und zwei Wohngeschosse, letztere mit einer kunstvoll gestalteten Fensterfront. Nach dem Wiederaufbau wurde das Haus dem Kunstgewerbemuseum zur Verfügung gestellt – als provisorische Unterkunft bis zum Umzug in das Museumsgebäude An der Rechtschule gegenüber dem Funkhaus, für dessen Schätze der größere Neubau im Dom/Rhein-Bereich errichtet worden ist.
Eines der ersten mittelalterlichen Bauwerke, die nach dem Zweiten Weltkrieg wiederhergestellt wurden, war der Gürzenich. Dieses 1437 bis 1444 errichtete Gebäude (benannt nach einer lange auf diesem Grundstück ansässigen Familie) war das Tanz- und Festhaus der Stadt. Hier empfing sie Kaiser und Könige, hier wurden glanzvolle Bankette und Bälle veranstaltet. Bomben zerstörten den Gürzenich fast völlig. Daß er so bald wiedererstehen konnte, ist auf einen Scherz zu-

rückzuführen. Am 1. April 1949 würden Prinz, Bauer und Jungfrau, die Symbolfiguren des Kölner Karnevals, sowie weitere städtische Prominente mit Hacke und Schaufel die Trümmer des Gürzenichs wegräumen, stand in einer Zeitung. Jeder, der wolle, sei herzlich zum Mitmachen eingeladen. Ein Aprilscherz, eigentlich. Aber er wurde Wirklichkeit. Die Prominenten kamen und viele Bürger ebenfalls. Das Grundstück wurde vom Schutt befreit. Der Stadtrat war von dieser Initiative so beeindruckt, daß er Geld für den Wiederaufbau genehmigte – obwohl es für solchen Luxus eigentlich keine Mittel geben sollte in dieser Zeit, in der die Stadt an allen Ecken und Enden von bedrückender Not gezeichnet war.

Wiederaufgebaut wurden auch die drei beim Abbruch der Stadtmauer erhalten gebliebenen großen Tore. Das Hahnentor liegt zentral an einem Schnittpunkt des Ost-West- und des Nord-Süd-Verkehrs. An dieser Lage sind bisher alle Bemühungen gescheitert, um das Tor herum einen attraktiven Platz zu gestalten. Besser sieht es um das Severins- und das Eigelsteintor aus. Sie sind, geschickt in die Umgebung eingepaßt, zentrale Punkte ihrer Stadtviertel.

Die beiden Viertel um Eigelstein und Severinstraße sind übrigens nicht die feinsten in Köln, aber sie sind charakteristisch für das Leben und die Lebensart in der Stadt. In den Kneipen wird unverfälschtes Kölsch gesprochen, und die Aufforderung an einen nicht mit Reichtümern gesegneten Mitmenschen »Drink doch eine met« kommt hier nicht nur im Mundart-Schlager vor. Gleich neben der kölschen Wirtschaft haben ein Türke, ein Italiener oder ein Grieche einen Laden oder ein kleines Restaurant eröffnet – einige dieser Adressen werden als Geheimtip in der ganzen Stadt gehandelt.

In diesen Vierteln gibt es trotz öffentlicher und privater Sanierungsbemühungen noch recht viele einfache, sogar primitive Wohnungen. Die Mieten sind niedrig; auch ältere Leute mit kleinem Einkommen, die schon ihr Leben lang dort ansässig sind, bleiben deshalb wohnen. Auch ausländische Familien zieht es in diese Wohnungen (oder sie werden dorthin abgedrängt) und schließlich viele junge Leute, die studieren oder in der Berufsausbildung sind und wenig Geld haben. Doch auch für besser Verdienende, Künstler, Journalisten aus Funk- und Zeitungshäusern, aufstrebende Kaufleute und Techniker, Lehrer und Wissenschaftler, haben diese zentral gelegenen Viertel ihren Reiz; sie bevorzugen die sanierten oder neu gebauten Häuser.

So ist im Umfeld der beiden Tore eine lebhafte, bunte Stadtlandschaft entstanden mit interessanten Menschen, originellen Lokalen (die Südstadt-Szene wird vor allem von jungen Leuten bevorzugt) und einem breitgefächerten Warenangebot von der Top-Qualität bis zum Second Hand-Sortiment. An Marktständen und in kleinen Läden finden Ausländer all die Waren, die sie brauchen, um so zu kochen wie zu Hause, und auch viele Deutsche schätzen das Lebensmittelangebot, das mit dem südländischer Märkte durchaus konkurrieren kann.

Es soll nicht verschwiegen werden, daß es um Severins- und Eigelsteintor auch möglich ist, den Duft der Halbwelt zu schnuppern. Wer sucht, der findet (beispielsweise da, wo der Eigelstein sich dem Hauptbahnhof nähert) die entsprechenden Kontakte. Doch bietet sich dieses Millieu eher unaufdringlich dar, seit Jahrzehnten ins Viertel integriert und auch toleriert.

Eine Stadt aus vielen Vierteln, und jedes hat seinen eigenen Stil

Wie kaum eine andere Großstadt ist Köln eine Stadt der Viertel, der »Veedel«. Von zweien war eben kurz die Rede; zehnmal so viele und noch mehr ließen sich beschreiben. Da gibt es Kleinsiedlungsgebiete wie Vogelsang, wo die Bewohner ihre Häuschen zwar zu Bungalows umgebaut und mit kurzgeschorenem Rasen umgeben haben, wo aber noch Obst und Gemüse angebaut werden. Hier wird noch auf fast bäuerliche Art gefeiert, mit Wettbewerben im Kappes-(Kohlkopf-)rollen und Schubkarrenrennen. Da ist der Villenvorort Marienburg mit Herrenhäusern in großzügigen Parkanlagen. Hier haben alte, wohlhabende Kölner Familien ihre feine Adresse, aber auch Botschaften und – was inzwischen als Sünde wider den Geist der Stadtplanung gilt, aber nicht mehr rückgängig gemacht werden kann – einige Verbände wie der Deutsche Städtetag.

Ganz anders der Stadtteil Chorweiler im Kölner Norden; er ist in den sechziger und siebziger Jahren entstanden, als unter den Fachleuten Verdichtungs- und Hochhauseuphorie grassierten. Trotz eines im Grund sinnvollen Konzepts mit autofreien Wohnstraßen, bequemen Wegen zu Sport- und Grünanlagen, Einkaufszentren und günstigen Nahverkehrsverbindungen hat Chorweiler keinen guten Ruf in Köln. Denn kaum war ein Teil dieser »Neuen Stadt« gebaut, setzte die Gegenbewegung ein. Nun verdammten Fachleute die Verdichtung, die Hochhäuser und den Beton ganz allgemein. Und dies machte Chorweiler zu schaffen. Doch viele Menschen wohnen dort gern (auch wegen der günstigen, subventionierten Mieten); und sie wehren sich massiv, wenn ihr Stadtteil in den Medien an-

gegriffen wird. »Veedels«-Denken breitet sich in Köln auch in Neubaugebieten aus, was sich in Chorweiler an einer großen Zahl von Vereinen, Bürgerinitiativen und den vielfältig engagierten Kirchengemeinden bemerkbar macht.
Und wieder ein anderes Veedel: Der Stadtteil Brück im Rechtsrheinischen. Ein hier gefundenes Steinbeil läßt den Schluß zu, daß dieses Gebiet schon vor 7000 Jahren bewohnt war. In der Bronzezeit (1600 v.Chr.) gab es hier keltische Höfe, später vermutlich eine germanische Wallburg. Dann siedelten sich Ubier an, unangefochten von den linksrheinisch etablierten Römern, und sehr viel später, im Mittelalter, wurde Brück ein Rittersitz. Das Dorf, ursprünglich an dem (1830 zur Provinzialstraße ausgebauten) Weg ins Bergische Land gelegen, hat seinen Charakter weitgehend bewahrt. Noch gibt es einige Bauernhöfe an der Olpener Straße und die alte Volksschule steht unter Denkmalschutz. Das Gasthaus »Zum Fuule Weet« ist freilich zur »Balkanstube« geworden. Durch Siedlungs- und Wohnungsbau in den dreißiger Jahren und nach dem Zweiten Weltkrieg stieg die Einwohnerzahl Brücks von 1000 um die Jahrhundertwende auf etwa 20 000 im Jahr 1980. Alteingesessene unterscheiden allerdings immer noch zwischen »richtigen Brückern« und Zugewanderten. Zu letzteren zählen vor allem die Bewohner der Konrad-Adenauer-Siedlung, die in den sechziger Jahren (mit weniger Hochhäusern als Chorweiler) für etwa 12 000 Menschen gebaut wurde. Die dort lebenden Neu-Brücker haben inzwischen ihr eigenes Ortsleben entwickelt.
Durch Wohnungsbau im großen Stil wurden in Köln häufig Stadtteile entwickelt oder bestehende neu geprägt. Genossenschaftlichen Wohnungsbau hat es in Köln schon vor dem Ersten Weltkrieg gegeben, und er hat, von einigen Ausnahmen abgesehen, die Stadt nicht mit billigen, phantasielosen Mietskasernen verbaut. So trat die Gemeinnützige AG für Wohnungsbau (GAG) schon 1913 mit dem Ziel an, ihren Mietern neben den vier Wänden »Lich, Luff und Bäumcher« zu bieten. Ein gutes Beispiel für gemeinnützigen (heute würde man sagen: sozialen) Wohnungsbau in Köln ist die »Weiße Stadt« in Buchforst. Sie entstand Ende der zwanziger Jahre und wird heute noch von Wissenschaftlern, Architekten und Studenten besichtigt und als vorbildlich bezeichnet. Sämtliche Wohnungen, in Zeilen zusammengefaßt, orientieren sich nach dem Sonnenlicht, alle haben Bad und Balkon. Zur Siedlung bauten die Architekten Wilhelm Riphahn (der in Köln viele interessante Bauten schuf, darunter auch die Bastei am Rheinufer und das Opernhaus) und Caspar Maria Grod auch eine Kirche, um die sich das Gemeindeleben und daraus wiederum ein Veedelsbewußtsein entwickelte.

Monatelang basteln die Vereine Wagen und Kostüme für ihren Zug

Gefeiert wird in allen kölschen Vierteln gern, Kirmes, Schützenfest, Sieg (oder wenn es nicht anders ist, auch mal eine Niederlage) des Sportvereins, das Jubiläum der Freiwilligen Feuerwehr, das Stiftungsfest des Gesangsvereins oder die Schulfeste. In manchen, vor allem den ländlichen Vororten bringt die Ortsgemeinschaft den Jubilaren und Goldhochzeitern Fackelzüge.
Ein gemeinsamer Feiertag für alle »Veedels«-Vereine ist der Karnevalssonntag. Dann treffen sie sich zu ihrem großen Umzug durch die Innenstadt, mit Festwagen, die sie selbst und ohne städtischen Zuschuß (wie ihn der offizielle Zug am Rosenmontag bekommt) gebaut haben. Monatelang haben die Vereinsmitglieder an den oft witzigen, die Stadt ganz schön veralbernden Wagen gebastelt und Kostüme geschneidert. Auch Jungen und Mädchen aus vielen Schulen, Erstkläßler wie Abiturienten, ziehen am Karnelvalssonntag mit.
Heutzutage lächeln die Vertreter der verspotteten Obrigkeit über die Karnevalsscherze. Das war bei ihren Vorgängern anders. Der französische Kommandant der 1794 von Napoleon eroberten Stadt Köln verbot das Narrentreiben kurzerhand. Erst 1803 wurde das Verbot aufgehoben, allerdings mit allerlei Einschränkungen. So mußte sich jeder Maskierte mit einer »Karte versehen, für welche zum Besten der Dürftigen 30 Centimen bezahlt werden«.
Auch den Preußen war die Narretei dubios. Sie verboten zum Beispiel den Einsatz von Militärpferden beim Rosenmontagszug. Ein hoher preußischer Offizier, der General von Cettritz und Neuhaus, aber nahm dieses Verbot zurück. Mehr noch, er ließ sich von der damals das Volksfest organisierenden Großen Karnevalsgesellschaft zum Ehrenmitglied ernennen. Und er nahm dies, wie viele Nichtkölner, die im Karneval zu Ehren kommen, sehr ernst. Er führte sogar eine bis heute gültige Neuerung ein, nämlich »daß wir hierfür als Unterscheidungszeichen der Eingeweihten ein kleines, buntfarbiges Käppchen während unserer Veranstaltungen aufsetzen, um diejenigen, die hier unberufen eindringen, erkennen und nach Verdienst abweisen«. Ein preußischer Offizier aus Sachsen hat also die Narrenkappe in Köln eingeführt.
Das Militär wurde von den Fastelovendsjecken gleichwohl nicht sonderlich geliebt. Die Karnevalsgesell-

schaft »Kölsche Funke rut-wieß«, die sich auf die Tradition der höchst unmilitärischen Stadtsoldaten beruft, persiflierte schon damals das Exerzierreglement mit Vergnügen. Nicht einmal vor Seiner Majestät machte der Spott der Kölner halt. Am Reiterstandbild des letzten deutschen Kaisers, Wilhelm II., am Fuß der Hohenzollernbrücke hing eines Tages eine Reisetasche als wenig dezenter Hinweis auf die vielen und auch für die Gastgeber kostspieligen Staatsbesuche des Herrschers.

Schon 1865 hatte es in Köln Kritik an einem Reiterstandbild gegeben. Die Kölner zierten sich, einem Wink aus Berlin zu folgen und König Friedrich Wilhelm III. ein Denkmal zu setzen. Es wurde dann doch beschlossen, jedoch stießen Einzelheiten auf allerhöchstes Mißfallen. Wilhelm I. kritisierte höchstpersönlich, daß unter den am Denkmal seines Vorfahren vorgesehenen Figuren auch die Freiheitsdichter Theodor Körner und Ernst Moritz Arndt waren. Körner wurde gestrichen, Arndt durfte schließlich bleiben.

Das Denkmal war im Zweiten Weltkrieg von Bombensplittern arg beschädigt worden, jedoch im ganzen erhalten geblieben. Doch dann nahmen sich Schrottsammler der Figur an, zerschlugen sie und brachten sie zur Schmelze. In Köln wurde viele Jahre diskutiert, ob dieses Denkmal wieder aufgebaut werden sollte. Es gab auf der einen Seite politische Bedenken gegen den in der Tat ja nicht gerade fortschrittlich und demokratisch gesinnten König. Auf der anderen Seite stand das Argument, das Denkmal sei ein wichtiger Bestandteil des Stadtbildes gewesen, seine Wiederherstellung könne dem von der Verkehrsplanung arg gebeutelten Heumarkt wenigstens ein bißchen von seiner Identität zurückgeben. Die Anhänger setzten sich durch, ein neuer Sockel und die Aufstellung der erhalten gebliebenen und vor Schrottsammlern in Sicherheit gebrachten Figuren rund um das Reiterstandbild wurden vom Verkehrsverein finanziert. Doch reichte das Geld nicht, Roß und Reiter neu zu gießen.

Eines Morgens im Jahr 1985 aber saß Friedrich Wilhelm III. unverhofft in Originalgröße auf seinem alten Platz am Heumarkt. Ein Bildhauer, der sein Brot auch mit der Herstellung täuschend echt aussehender Film- und Fernsehkulissen verdient, hatte den König und sein Pferd aus haltbarem Styropor nachgebildet und nachts heimlich mit Hilfe großer Kranwagen auf den Sockel gestellt. Ganz Köln lachte über diesen Handstreich. Die Konservatorin rieb sich die Hände, beamtete Statiker stellten fest, daß dem Plastik-König keine Einsturzgefahr drohe, und für den Verkehrsverein war das Ganze ein Anlaß, die Sammlung für den Neuguß nun mit besonderem Eifer weiter zu betreiben. Mindestens eine halbe Million soll es kosten, die Styropor-Figuren, die schließlich doch von einem orkanartigen Sturm vom Podest geweht worden sind, durch ein haltbareres Monument zu ersetzen.

Wer sich um die Stadt bemüht, der kann hier schnell heimisch werden

Die Kölner lieben solche Scherze, und sie nehmen ihre Urheber mit offenen Armen auf – so wie den Veranstalter der Nacht- und Nebelaktion am Heumarkt, den aus Polen eingewanderten Bildhauer Herbert Labusga. Sie haben viele aufgenommen, die da im Lauf von zwei Jahrtausenden in »die große Völkermühle am Rhein« kamen, die Carl Zuckmayer in seinem Drama »Des Teufels General« beschrieben hat: den römischen Feldhauptmann, der einem blonden Mädchen Latein beigebracht hat, den jüdischen Gewürzhändler, den griechischen Arzt, den keltischen Legionär, den Graubündner Landsknecht, den schwedischen Reiter, den Soldaten Napoleons, den desertierten Kosaken, den Schwarzwälder Flözer, den wandernden Müllerburschen aus dem Elsaß, den dicken Schiffer aus Holland ... Und dann kamen, nachdem des Teufels Generale kapituliert hatten, Zehntausende von Heimatvertriebenen in die Stadt und nach ihnen die Scharen der Gastarbeiter, Italiener zuerst, dann Spanier, Griechen, Jugoslawen und schließlich die Türken, die heute den größten Ausländeranteil in Köln stellen. Viele von ihnen leben nun in der zweiten Generation in der Stadt, sie sind in Köln geboren, hier ist ihre Heimat.

Freilich hat die Integration der Fremden auch im weltoffenen Köln nicht immer reibungslos funktioniert. Je stärker eine Gruppe ihre Eigenart bewahrte, um so mehr Distanz hielten (und halten) die Einheimischen von ihr. Wer sich aber einfügt in das Leben der Stadt, wer sich bemüht, ihr Wesen zu begreifen, der hat es leicht – wie der Preußen-General von Cettritz oder Ertan, der türkische Mittelstürmer im Fußballklub der Kreisklasse.

Viele Türken, die nach Köln gekommen sind, haben übrigens, wie eine psychologische Studie der Professorin Meistermann-Seeger ergab, gleich zwei Probleme bewältigen müssen. Einmal den allgemeinen Kulturschock beim Übergang in ein Land mit ganz anderen Sitten und Gebräuchen und zum zweiten die Ratlosigkeit gegenüber einem Menschenschlag, der vieles nicht so genau nimmt. »Sie haben«, stellte die Wissenschaftlerin fest, »sich ein Land vorgestellt, in dem alles sehr viel ordentlicher zugeht, als in der Türkei, und dann

trafen sie auf die gar nicht immer korrekten, eher leichtlebigen Kölner.«
»In Köln«, heißt es ja in der Tat, »freut man sich zweimal über ein Versprechen. Das erste Mal, wenn es gegeben wird. Und das zweite Mal, wenn der Partner sein Versprechen auch wirklich hält.«
Allerdings ist der Gedanke, die Kölner kokettierten ein bißchen mit ihrem Ruf, so abwegig auch nicht. Wie könnten sonst Wirtschaftsunternehmen behaupten, die Menschen in dieser Stadt seien arbeitsam und zuverlässig. Das bestätigen wirklich unverdächtige Zeugen, etwa die Manager japanischer Unternehmen, die sich in Köln niedergelassen haben – und die verstehen ja etwas von Arbeitsmoral.
Zwiespältige Aussagen über die Mentalität der Kölner hat es schon immer gegeben. So trug der Wissenschaftler Heiko Steuer Aussagen über die Franken in Köln zusammen. Da ist einmal die Rede von »... Franken die gewohnt sind, lachend ihr Wort zu brechen«. Und ein anderes Mal heißt es: »Die Franken scheinen mir für ein Barbarenvolk sehr gesittet und gebildet... Höchste Bewunderung zolle ich ihnen ... auch wegen ihrer Redlichkeit und Eintracht untereinander.«
Wer recht hat – das ist heute wohl ebensowenig festzustellen, wie vor 1500 Jahren.

Waren aus Köln gingen in alle Welt – das war schon zur Römerzeit so

Sicher ist, daß in Köln nicht nur gefeiert, sondern immer auch viel gearbeitet wurde und daß Waren aus Köln stets weit über die Grenzen der Stadt hinaus begehrt waren. Im 4. Jahrhundert vollbrachten Kölner Glasbläser und Glasschleifer Spitzenleistungen, die im ganzen römischen Reich geschätzt wurden. Sie beherrschten die »Diatret«- (griechisch: Durchbruch-)Technik meisterhaft. Auf farblosen Glasbechern blieben einige schmale Stege stehen, als Halt für eine Art Netz aus farbigen Ornamenten, das um die Gefäße gelegt wurde. Auch gravierte Becher aus Köln wurden überall im Reich verwendet. Eine ganze Anzahl besonders schöner Gläser aus dieser Zeit ist im Römisch-Germanischen Museum zu sehen.
Glas aus Köln war dann viel später noch einmal eine vielgehandelte Ware. 1777 wird erstmals ein Betrieb erwähnt, der sich mit der Verspiegelung fertiger Gläser befaßte. Und ein 1790 gegründetes Unternehmen stellte jährlich 150 000 Flaschen und tausend Fensterscheiben her. Eine seit 1864 bestehende Glasfabrik in Ehrenfeld, 1872 umbenannt in »Rheinische Glashütten AG«, nutzte die Möglichkeit der Gasfeuerung zur Produktion im großen Stil. Das Unternehmen stellte Flaschen und Flakons her (gute Kunden waren die Kölnisch-Wasser-Fabriken) und in zunehmendem Maße Fensterglas. Der Bauboom im immer größer werdenden Köln sorgte für reißenden Absatz.
Zurück zu den Römern. Unter ihnen florierte auch die Metallherstellung. Bei Ausgrabungen fanden sich Mauern und Geräte von Gießereien. In Köln produzierte Messing-Eimer wurden nicht nur in der römischen Provinz, sondern auch im freien Germanien, in Skandinavien und Osteuropa verwendet – häufig als Graburnen. Auch Schwerter müssen in Köln produziert worden sein. Niemand weiß zwar, wo die Waffenschmiede lag, doch ein in Straßburg gefundenes Schwert trägt die Inschrift, Quintus Nonnienus Pudens habe es in Köln hergestellt.
Weil mit der Metallverarbeitung Feuergefahr verbunden war, wurden die Betriebe außerhalb der Mauer angesiedelt, als Industriegürtel um die Stadt gelegt.
Heute liegt ein Chemiegürtel um Köln mit den Bayer-Werken im Nord-Osten, den Firmen Erdöl-Chemie, Wacker-Chemie und Esso im Norden, den Produktionsstätten der Shell und der Union Kraftstoff (UK) im Süden und schließlich der Chemischen Fabrik Kalk im Osten. Letztere, 1854 gegründet, war der erste chemische Großbetrieb in Köln, daneben gab es um die Jahrhundertwende an die 150 kleinere Chemie-Unternehmen, einige von ihnen waren reine Waschküchenbetriebe. Produziert wurden unter anderem Drogen für den medizinischen Gebrauch, Chemikalien, vornehmlich zur Düngemittelherstellung, und Farben. Die Unternehmen entwickelten ständig neue Produkte. Und nicht immer mit Erfolg. So wird in dem zweibändigen Werk »Zwei Jahrtausende Kölner Wirtschaft« von einer Erfindung berichtet, die »als Grundlage für eine erfolgreiche Reform der Ernährung« und als »billigste aller Eiweißsubstanzen« angepriesen wurde. Fleisch und Hülsenfrüchte waren die Grundstoffe. Das Publikum aber kaufte lieber nach wie vor beim Metzger und beim Gemüsehändler; die Reform der Ernährung blieb aus. Die noch heute bestehenden Troponwerke stellten die Herstellung ein und gingen zur Erzeugung pharmazeutischer Produkte über.
Köln wird oft als die Stadt der drei »K«, nämlich der Kirchen, der Kunst und des Karnevals, dargestellt. Die Darstellung ist unvollständig. Köln ist auch eine Industrie- und Handelsmetropole. Hier werden Maschinen hergestellt und in die ganze Welt exportiert, Kabel aus Köln verbanden einst die Kontinente – heute haben sich Unternehmen dieser Branche auf moderne Kommunikationstechniken umgestellt. Versicherungskon-

zerne haben ihre Zentralen in Köln, Verbände und Bundesbehörden sind hier ansässig. In Köln gibt es mehr Funkhäuser als in jeder anderen Stadt Europas; neben dem Westdeutschen Rundfunk, dem größten deutschen Sender, haben Deutschlandfunk und Deutsche Welle hier ihren Sitz und last but not least auch der in ganz Europa gern gehörte britische Soldatensender BFBS. Auch private Sendeanstalten zeigten frühzeitig Interesse am Medienstandort Köln. Kölner Buchverlage genießen hohes Ansehen, und die lebendige Presselandschaft (in der Stadt erscheinen zwei Tageszeitungen und ein Boulevardblatt) hat eine große Tradition. Nur zwei Titel sollen in diesem Zusammenhang genannt werden: Die »Kölnische Zeitung«, im 19. Jahrhundert ein im ganzen Reich gelesenes, politisch einflußreiches Blatt, und die (nicht mehr existierende) »Rheinische Zeitung«, deren verantwortlicher Redakteur in den vierziger Jahren des 19. Jahrhunderts Karl Marx hieß.
Die Medienstadt Köln mit ihrem großen publizistischen und technischen Potential hat in der Vergangenheit weniger von sich reden gemacht als Hamburg und München. Dies soll nun anders werden; 1985 setzten von Stadt und Land unterstützte Bestrebungen ein, die Bedeutung Kölns auf diesem Gebiet stärker herauszustellen und sie im Hinblick auf neue Medien wie Kabel- und Satellitenfernsehen sowie neue Kommunikationsmethoden und -techniken auszubauen. Die Idee eines »Mediaparks« kam auf.
Dies gehört zu dem Konzept, den von den drei »K« geprägten Ruf der Stadt zu ergänzen und Köln auch als »Wirtschaftszentrum West« ins Bewußtsein zu rükken. Die Vermutung, dieser mit hohem Werbeaufwand bundesweit und auch international verbreitete Begriff rühre daher, daß es in den dichtbesiedelten Teilen der Stadt kaum eine Ecke gibt, an der nicht eine Wirtschaft, eine Kneipe oder ein Restaurant zum Verweilen einlädt, ist ebenso naheliegend wie falsch. Gleichwohl stellt die Gastronomie in der Stadt einen wesentlichen Wirtschaftsfaktor dar. In Köln gibt es außerdem mehr Brauereien als in jeder anderen deutschen Stadt. Sie stellen ein ganz spezielles Bier her, das obergärige, leichtbekömmliche, süffige Kölsch. Mehr als 150 Liter trinkt nach der Statistik jeder Kölner, Babys eingeschlossen, davon. Es wird seit 1396 in der Stadt gebraut; 24 Firmen (15 aus dem Stadtgebiet und neun aus dem benachbarten Umland) wahren diese alte Tradition. Dazu haben sie sich 1985 in einer feierlich unterzeichneten »Kölsch-Konvention« verpflichtet. Die vom Kartellamt genehmigte Vereinbarung legt neben den Qualitätsmerkmalen auch fest, daß nur die Unterzeichner Kölsch in den Handel bringen dürfen. Dieser weitet sich übrigens stetig aus. Nicht nur in Köln wird das in besonderen, zylinderförmigen Gläsern servierte Bier gern getrunken, es gewinnt auch außerhalb immer mehr Freunde und wird sogar nach Übersee exportiert.
Als Exportschlager steht Kölsch allerdings noch hinter einem anderen, flüssigen Produkt zurück, das den Namen der Stadt in alle Welt trägt: Kölnisch Wasser. Zu Beginn des 18. Jahrhunderts hatten Paul Feminis und Johann Maria Farina, Einwanderer aus Italien, mit der Herstellung eines »aqua mirabilis« begonnen, eines Produkts aus wohlriechenden Essenzen und Weinspiritus, das als medizinisches Allheilmittel angepriesen wurde. Im Siebenjährigen Krieg fanden französische Offiziere heraus, daß dieses »aqua« auch ein vorzügliches Duftwasser war; sie gaben ihm den Namen »Eau de Cologne«. Die Nachfrage stieg, Kölnisch Wasser war in vielen Ländern Europas gefragt. Zahlreiche Produzenten beschäftigten sich mit der Herstellung, einige holten sich Träger des in Italien weitverbreiteten Namens Farina in ihre Firmen, ohne allerdings auf die Dauer die Position des ersten Farina-Unternehmens schwächen zu können. Erfolgreicher war die 1792 gegründete Eau de Cologne- und Parfümfabrik Mülhens. Ihr Markenzeichen, die Hausnummer 4711, erinnert daran, daß die Franzosen erstmals die Kölner Gebäude numerierten. Ein Glockenspiel mit rundlaufenden Figuren am 4711-Haus an der Glockengasse (es wurde nach dem Krieg aus Stahl und Beton, jedoch im historischen Stil aufgebaut) zeigt mehrmals täglich die Szene so, wie sie in der Firmengeschichte dargestellt wird.

Die Zeit der Blüte ging zu Ende, und die Bürger wurden unduldsam

Wenn Kölnisch Wasser auch im späten 18. und im frühen 19. Jahrhundert zum Exportschlager wurde – die wirtschaftliche Lage der Stadt war nicht rosig zu jener Zeit. Der Welthandel hatte sich von den großen Wasserstraßen auf die Seehäfen verlagert, die Stadt verlor als Handelsmetropole an Bedeutung. Die maßgebenden Bürger, im Lauf der Zeit schwerfällig geworden, konnten diese Entwicklung nicht abwenden. Seit dem frühen Mittelalter hatten Patrizier und Handwerker, die Zünfte und Gaffeln, die freie Reichsstadt Köln regiert, mehr oder weniger unabhängig von Fürsten und Klerus – doch nach heutigem Verständnis durchaus nicht demokratisch. Sie verteilten ihre Pfründen unter sich, vergaben Bürgerrechte sehr restriktiv und längst nicht an alle

Einwohner Kölns, und sie erwiesen sich zudem als äußerst unduldsam gegenüber Nichtkatholiken. Die Juden, denen Kaiser Konstantin 321 ausdrücklich das Recht zugestanden hatte, im Rat der Stadt mitzuwirken, wurden im Lauf der Jahrhunderte mehrfach grausam verfolgt und aus Köln vertrieben. 1096 während der Kreuzzugbewegung wurde ihre Synagoge zerstört, 1349 und 1515 machte das Volk sie für die Ausbreitung der Pest verantwortlich. Auch Protestanten wurden in Köln verfolgt, sie erhielten kein Bürgerrecht und mußten sich bei der Ausübung ihrer Berufe erhebliche Schikanen und Beschränkungen gefallen lassen. Deshalb zogen viele von ihnen in Gegenden mit toleranteren Landesherren, vornehmlich ins jenseits des Rheins gelegene Mülheim. Die (inzwischen nach Köln eingemeindete) Stadt entwickelte sich dank dieser Zuwanderer wirtschaftlich ausgezeichnet.
Erst nach der Eroberung Kölns durch die Truppen Napoleons wurde die Diskriminierung von Juden und Protestanten aufgehoben. 1797 durften auch evangelische Christen das Bürgerrecht erwerben, und bald darauf wurde ihnen die freie Religionsausübung zugestanden. 1802 erhielt die evangelische Gemeinde Köln ihr erstes Gotteshaus, die einst katholische Antoniterkirche an der Schildergasse. Eine andere evangelische Kirche im Innenstadtbereich gehörte ursprünglich einem 1334 gegründeten katholischen Orden, die Kartäuserkirche am heutigen Kartäuserwall.
1798 kehrten die ersten Juden nach Köln zurück. 17 Familien bildeten eine neue Gemeinde. Sie erwarb einen Teil des ehemaligen Klosters des Klarissenordens an der Glockengasse. Dort wurde in der Mitte des 19. Jahrhunderts eine Synagoge errichtet. Architekt war der Mann, der auch die Arbeiten zur Vollendung des Domes leitete, Baumeister Zwirner. Am Platz der alten Synagoge steht heute das Opernhaus, eine Gedenktafel erinnert daran.
Wenn die Franzosen auch die freie Religionsausübung garantierten, so förderten sie die Glaubensgemeinschaften doch nicht. Sie hingen dem Grundsatz an, Kirchengut sei Eigentum der Nation, sie säkularisierten Klöster und Kirchen, benutzten sie zum Teil als Kasernen. Kirchenschätze wurden geplündert oder als Beute nach Frankreich gebracht. Auch sonst bediente sich die Militärregierung hemmungslos. Sie beschlagnahmte den Inhalt der öffentlichen Kassen und führte Assignaten ein, wertloses Papiergeld. Der Rat der Stadt schickte den Bürgermeister DuMont mit einer Bittschrift an den Nationalkonvent nach Paris. Er sollte versuchen, das Los der Kölner Bürger zu verbessern. Nach einem halben Jahr kehrte er unverrichteter Dinge zurück nach Köln.
Als nützlich wirkte sich hingegen aus, daß die Franzosen das recht verworrene Zivil- und Strafrecht neu ordneten und eine übersichtliche Magistratsverfassung einführten. Ihr Ansehen in Köln wuchs, als Napoleon erster Konsul wurde und sich mit der katholischen Kirche aussöhnte. Als er 1804 die Stadt besuchte, bereiteten ihm die Kölner einen begeisterten Empfang.
Zwischen 1820 und 1890 – die Franzosen waren nach zwanzigjähriger Herrschaft 1814 abgezogen – erlebte Köln dann endlich einen wirtschaftlichen Aufschwung. Der Wandel von der handwerklichen zur industriellen Fertigung fand Ausdruck in der Gründung zahlreicher Fabriken. Der Bau von Maschinen, von der Nähmaschine bis zum Großgerät für die Kohleförderung, hatte Hochkonjunktur. Die Vielseitigkeit gerade dieser Branche sorgte damals wie heute dafür, daß wirtschaftliche Schwierigkeiten die Stadt nie bis ins Mark erschüttern konnten.

Die bedeutendste Erfindung jener Zeit: der Motor von Nicolaus August Otto

Die wohl bedeutendste Erfindung jener Zeit war der 1867 auf der Pariser Weltausstellung mit einer Goldmedaille prämiierte Viertakt-Gasmotor von Nicolaus August Otto. Der Erfinder tat sich mit Eugen Langen aus der Familie wohlhabender Zuckerfabrikanten zusammen. Der brachte nicht nur Kapital ein, sondern auch Ideen. Genau wie Otto war Eugen Langen ein Tüftler, er erfand unter anderem die Kupplung. Die beiden bauten ihre Firma im rechtsrheinischen Deutz auf; daran erinnert ein Denkmal, das Modell des ersten Otto-Motors, vor dem Deutzer Bahnhof.
Das Unternehmen machte nach einer schwierigen Anlaufphase bald gute Gewinne. Otto-Motoren (sie wurden zunächst mit Gas und ab 1876 mit Benzin betrieben) dienten ursprünglich dem Antrieb industrieller Maschinen. Vor allem kleinere und mittlere Unternehmen, die sich keine großen Dampfmaschinen leisten konnten, zählten zu den Kunden. Motoren aus Deutz lieferten 1880 auch den Strom für die Festbeleuchtung bei der Feier zur Vollendung des Doms.
Zu Ottos Mitstreitern gehörten auch Gottlieb Daimler, er war technischer Direktor der Deutzer Firma, und Wilhelm Maybach, der Chef des Zeichenbüros. Die beiden verließen Köln 1882 und wurden erfolgreiche Automobilbauer. Ottos Erfindung, übrigens Gegenstand heftiger juristischer Auseinandersetzungen um Patente und Urheberrechte, schuf die Grundlage für den Bau von Autos in aller Welt. Auch in Köln ent-

standen Fabriken zur Herstellung motorgetriebener Wagen; an die zwanzig Unternehmen versuchten sich daran im Lauf der Jahre. Konstrukteure, die untrennbar mit der Geschichte des Automobils verbunden sind, wirkten in Köln, zum Beispiel August Horch (dessen ins Lateinische übersetzter Name »Audi« noch heute einen guten Klang hat) und Ettore Bugatti, Schöpfer der wohl schönsten »Oldtimer«. Bugatti war zu für damalige Verhältnisse sagenhaften Konditionen von der Gasmotorenfabrik Deutz angeworben worden. Er bekam 100 000 Mark Honorar, für jeden nach seinen Vorstellungen gebauten Wagen 500 Mark und außerdem 1000 Mark Monatsgehalt.
Auf einen ganz anderen Antrieb als den Benzinmotor setzte die Kölner Akkumulatorenfabrik Gottfried Hagen. Sie baute zwischen 1898 und 1909 Elektroautos. Etwa 1500 dieser umweltfreundlichen Fahrzeuge wurden abgesetzt, doch dann mußte die Produktion eingestellt werden; nicht zuletzt deshalb, weil es noch große Gebiete gab, in denen kein elektrischer Strom zum Aufladen der Batterien verfügbar war. Ein anderes Kölner Werk, das von Heinrich Scheele an Melaten, hingegen baute noch bis 1930 Elektroautos, die recht gern als Taxen oder Postwagen genutzt wurden.
In den zwanziger Jahren des zwanzigsten Jahrhunderts wurde Köln dann zur großen Autostadt. Die Ford-Werke, zunächst in Berlin angesiedelt, konnten den Oberbürgermeister Konrad Adenauer davon überzeugen, daß Köln der geeignete Standort für ihre Autofabrik sei. Im Mai 1931 lief im Niehler Werk der erste von inzwischen weit über acht Millionen in Köln gefertigter Fordwagen vom Band. Er war, wie es in der Werbung hieß, »fast vollständig von deutschen Werkstoffen gebaut«. Dem ersten Fahrzeug, einem Zwei-Tonner-Lkw, folgten Personenwagen vom Typ »Köln«, »Rheinland« und »Eifel«. Die Fließbandproduktion, von Henry Ford in den USA eingeführt, trug wesentlich zum Erfolg des Unternehmens bei. Autos aus dem Kölner Werk werden heute in die ganze Welt exportiert; selbst in das Mutterland der Ford-Wagen, die USA.
Auch das französische Citroën-Werk, die erste Automobilfabrik, die in Europa die Großserienfertigung am Fließband einführte, kam Ende der zwanziger Jahre nach Köln. Bis 1935 wurden im rechtsrheinischen Poll Kleinwagen montiert.
Im Jahr 1950 meldete sich das Unternehmen in Köln zurück, es baute hier seine Zentralorganisation für die Betreuung der 800 Vertragshändler auf. Etwa ebensoviele Händler betreut von Köln aus die deutsche Zentrale des japanischen Autoherstellers Toyota. In unmittelbarer Nachbarschaft der Stadt haben die deutschen Niederlassungen von Mazda in Leverkusen und Renault in Brühl ihren Hauptsitz.
Weltweit ist der Absatz von Nutzfahrzeugen aus Köln, von Traktoren der Klöckner-Humboldt-Deutz AG. In dieser Firma sind die von Otto und Langen gegründeten Motorenfabrik und die ursprünglich mit der Herstellung von Bergbaumaschinen befaßte Maschinenfabrik Humboldt aufgegangen, deren Mehrheitsaktionär der Ruhr-Industrielle Peter Klöckner war.

Die Entwicklung der Wirtschaft prägte auch das Bild der Stadt

Die Geschichte der Kölner Wirtschaft und ihre heutige Leistungsfähigkeit spiegeln sich auf vielfältige Weise im Stadtbild. Einige historische Bauten, die den Krieg überstanden hatten, wurden liebevoll restauriert wie das Elektrizitäts- und Wasserwerk am Zugweg, das zwischen 1883 und 1909 entstanden ist. Als 1985 die Wasservorräte dort wegen der Erneuerungsarbeiten vorübergehend abgepumpt worden waren, stellte sich durch Zufall heraus, daß die Akustik in den Gewölben unvergleichlich war und sich dort kaum je erreichte Hall-Werte ergaben. Der Westdeutsche Rundfunk nutzte die Renovierungszeit zu einmaligen (weil nicht wiederholbaren) Musikaufnahmen.
Es gibt noch eine ganze Anzahl Baudenkmäler der Industrie und Wirtschaft der Zeit um die Jahrhundertwende – das Sudhaus der Sünner-Brauerei in Kalk mit seiner verzierten Backsteinfassade, die Lagerhallen am Rheinauhafen, wegen ihrer nebeneinanderliegenden Giebel »Siebengebirge« genannt, das im neugotischen Stil errichtete Haus der Reichsbank Unter Sachsenhausen, dessen historisches Dach zum Kummer der Denkmalpfleger freilich nicht wiederaufgebaut worden ist, das Dom-Hotel mit seiner einmaligen Lage gegenüber der Kathedrale oder die »Flora«, der Restaurations- und Saalbau am Botanischen Garten. Zwei ganz unterschiedliche große Gebäude in der Kölner Innenstadt sind Ende der zwanziger Jahre fast gleichzeitig entstanden. Das Haus Neuerburg in Rathausnähe, Sitz eines Tabakwarenunternehmens, erinnert mit seinem Turm an einen mittelalterlichen Stadthof. Ganz anders wirkt das 1983/84 renovierte Dischhaus, ein Büro- und Geschäftsgebäude, in dem jetzt die Bezirksverwaltung für die Innenstadt untergebracht ist. Die geschwungene, schmucklose Fassade mit ihren dunklen Fenster-Bändern sieht wie ein großes Schiff aus.
Ein ganz anderes Eckhaus mit Türmen und Giebeln (Baujahr 1912) steht dort, wo sich die Hauptgeschäfts-

straßen der Innenstadt, Hohe Straße und Schildergasse, treffen: das Kaufhaus Hansen. Die Stadtplaner hatten diesen Straßenzügen damals ein vornehm-gediegenes Aussehen verordnet und unter anderem die Verkleidung der Gebäude mit steinernen Fassaden vorgeschrieben. Dies ist auch noch am gegenüberliegenden Kaufhof zu erkennen. Dessen 1957 fertiggestellter Erweiterungsbau an der Rückfront mit seiner glatten, vorgehängten Glasfassade gilt hingegen als Baudenkmal der fünfziger Jahre.
Typisch für die Architektur des Handels in Köln etwa seit 1970 sind die Ladenstädte, in denen unterschiedliche Geschäfte, Restaurants und in einem Fall sogar ein Theater unter einem Dach vereint sind. Das erste Unternehmen dieser Art in der Kölner Innenstadt wurde zwischen Glockengasse und Breite Straße errichtet. Es folgte der auf drei durch Treppen verbundenen Ebenen angelegte und deshalb besonders reizvolle »Bazaar de Cologne« an der Mittelstraße. Dritte im Bunde ist die Kreishausgalerie. Als die Verwaltung des Köln benachbarten Landkreises die Stadt verließ, gab es heftige Diskussionen um die Nutzung ihres Bürogebäudes. Die schöne Fassade aus dem Jahr 1906 konnte schließlich vor dem Abbruch bewahrt werden. Dahinter entstand ein mit viel Glas gestalteter Ladenkomplex, an den sich Wohnbebauung anschließt. Eine Versicherung investierte die notwendigen Mittel. Ein anderes Unternehmen dieser Branche finanzierte die Pläne für den »Olivandenhof«, zu dem ein mit Glas überdachter Straßenzug gehört.
Versicherungen haben auch mit eigenen Bürobauten die architektonische Landschaft belebt. Das Allianz-Gebäude am Kaiser-Wilhelm-Ring ist nicht nur ein gutes Beispiel für die Büro-Architektur der frühen dreißiger Jahre, es spielt auch eine Rolle in der jüngeren Geschichte Kölns: Hier tagte nach dem Zweiten Weltkrieg der erste demokratisch gewählte Rat der Stadt, hier war bis 1955 auch der Sitz der Verwaltung. Und hier residierte, von den Amerikanern wieder ins Amt eingesetzt, Konrad Adenauer einige Monate als Oberbürgermeister. Am 6. Oktober 1945 wurde er vom britischen Stadtkommandanten entlassen – »wegen Unfähigkeit«. Als Beispiel nannte der Offizier Adenauers Weigerung, die Bäume in den städtischen Grünanlagen fällen und von den Kölnern verheizen zu lassen.
Zu den ersten Versicherungsneubauten der Nachkriegszeit gehören die des Gerling-Konzerns am Gereonshof (vollendet 1953). Der von einem 15geschossigen Hochhaus überragte Komplex war wegen seiner Pracht und des konservativen Stils lange umstritten. Heute ist auch er Objekt der Denkmalpflege – als Beispiel für die Nachkriegsarchitektur. Einen ganz anderen Versicherungsbau errichtete die »Colonia« auf der grünen Wiese im rechtsrheinischen Vorort Holweide. Hier strebten die Architekten nicht in die Höhe, sondern in die Breite; sie gestalteten eine Bürolandschaft mit Grünzonen, Wasserflächen und verglasten Wandelgängen.
Markante Verwaltungsbauten errichteten nach dem Zweiten Weltkrieg Klöckner-Humboldt-Deutz im Rechtsrheinischen, der Bundesverband der deutschen Industrie in Bayenthal, die Arzneimittelfirma Nattermann im linksrheinischen Bocklemünd und die Rheinische Braunkohle am Rande des Grüngürtels in Junkersdorf. Eines der ersten Gebäude, in denen in Köln der Gedanke des Großraumbüros konsequent und durchdacht verwirklicht wurde, war das der Lufthansa an der rechtsrheinischen Auffahrt der Deutzer Brücke. Eine vielbeachtete Kompromißlösung zwischen Großraum und individuellem Arbeitsplatz fanden die Gas-, Elektrizitäts- und Wasserwerke mit ihrem vielgliedrigen Wabenbau am Parkgürtel.
Es gibt zahlreiche Beispiele guter Wirtschaftsarchitektur in Köln. Zwei sollen zum Abschluß dieser (naturgemäß unvollständigen) Aufzählung erwähnt werden. Das Kesselhaus der Fordwerke (1931/32), von dem der Architekturkritiker Wolfram Hagspiel sagt, es folge einem konsequenten Gestaltungsprinzip, das sich auch in der damaligen konstruktivistischen Malerei wiederfindet, und das 1979 vollendete Toyota-Haus in Marsdorf. Acht »Zylinder«, vier im Zentrum und je zwei am äußeren Rand geben dem Gebäude Halt. Die aluminiumverkleideten Säulen sollen an Motoren denken lassen – Symbolarchitektur für ein Unternehmen, das Autos verkauft. Der Bau fällt aber nicht nur wegen seiner originellen Gestaltung auf, er dokumentiert eben auch, daß der Wirtschaftsstandort Köln für auswärtige Unternehmen attraktiv ist. Der japanische Autohersteller ist nur einer von vielen, die dies nutzen.

In Köln wird nicht nur gern gefeiert, sondern auch fleißig gearbeitet

Die Stadt Köln, traditionell Arbeitsplatz für Menschen aus einem weiten Umland von der Eifel im Linksrheinischen bis ins Bergische Land rechts des Rheins, bemüht sich permanent, Voraussetzungen für weitere Industrieansiedlung zu schaffen. Sie erschließt Gewerbegebiete, baut den öffentlichen Nahverkehr aus, etwa durch die von Bund und Land geförderte Erweiterung der Hohenzollernbrücke für eine S-Bahn-Verbindung, und plant einen Contai-

nerhafen. Außerdem zerbrechen sich die Wirtschaftsförderer im Rathaus und bei der Industrie- und Handelskammer, wie schon erwähnt, den Kopf über das Image der Stadt. Der kulturelle Hintergrund Kölns, die Tatsache, daß sich hier gut leben läßt, ist weit verbreitet. Aber es herrscht ein wenig Sorge, ob dahinter die anderen Qualitäten nicht vergessen werden, das breitgefächerte Bildungssystem etwa, das solide Grundlagen für jede berufliche Qualifikation, sei es auf praktischem oder wissenschaftlichem Gebiet, bietet. In diesem Zusammenhang wird denn auch immer mal wieder diskutiert, ob die breite Darstellung des Karnevals in Schrift und (Fernseh-) Bild nicht die Tatsache verdeckt, daß die Menschen, die so fröhlich feiern können, auch hart und gewissenhaft zu arbeiten vermögen.
Die Organisatoren des Karnevals, durchweg ehrenamtlich tätige Leute, von denen viele in wichtigen Positionen der Kölner Wirtschaft tätig sind, reagieren auf solche Überlegungen recht mürrisch. Lebensqualität, sagen sie, sei ein ganz wesentlicher Faktor; wer darauf verzichte sie herauszustellen, begebe sich auf fast sträfliche Weise eines Vorteils im Konkurrenzkampf der großen Städte. Wer recht hat in dieser Auseinandersetzung? Vielleicht alle ein wenig.
Fest steht, daß der Karneval in Köln eine wichtige Rolle spielt. In der Session zwischen dem 1. Januar und Aschermittwoch beherrscht er den städtischen Veranstaltungskalender. An die 300 000 Besucher kommen alljährlich zu den Sitzungen und Bällen – in die großen Festsäle der Innenstadt und in die Lokale der Vororte. Und wenn das Wetter mitspielt, dann schunkeln, singen und lachen eine Million Menschen am Weg des Rosenmontagszuges.
Archäologische Funde aus der Römerzeit, geschnitzte Masken im Chorgestühl des Domes, Bilder und Berichte aus dem Mittelalter (wie die Memoiren des Ratsherrn Hermann von Weinsberg) und unzählige Dokumente aus dem 18. und 19. Jahrhundert belegen die Tradition des kölschen Karnevals. Fruchtbarkeitskulte, Austreibung des Winters, Bannung der Dämonen und dionysische Feierlust sind seine Grundlagen. Freude am Mummenschanz, Ausbrechen aus dem Trott des Alltags, Veralbern der Mitmenschen, Verspotten der Obrigkeit und satirische Darstellung von Mißständen und dann natürlich der Wunsch, vor Beginn der Fastenzeit noch einmal in vollen Zügen zu genießen – dies alles sind seine Elemente. Unter dem Schutz der Masken gab es nicht selten Übergriffe, und es gab zornige Vorbehalte der Herrschenden gegen die respektlose Narretei. Verbote waren die Folge – noch nach dem Zweiten Weltkrieg sah die Besatzungsmacht in den Holzgewehren der karnevalistischen Korps bedrohliche Symbole einer deutschen Wiederbewaffnung – doch der Karneval überstand alle Krisen. 1823 wurde ein Festordnendes Comité gegründet mit dem Ziel, Auswüchse zu verhindern, das Niveau des Karnevals zu heben, ihn gegen Angriffe zu bewahren und (vor allem) den Rosenmontagszug zu organisieren. Diese Ziele werden im Grunde noch heute vom Festkomitee des Kölner Karnevals verfolgt, der Dachorganisation von etwa 50 Karnevalsgesellschaften, die freilich nur einen Teil des karnevalistischen Geschehens in Köln bestimmen. Neben ihnen gibt es unzählige Veranstalter von Sitzungen, Festen und Bällen; Innungen gehören dazu, Vereine, Verbände und Stammtische.
Wie nirgendwo sonst in Köln finden im Karneval und durch den Karneval die Menschen zueinander. Nicht nur während der sechs, acht Wochen langen Session; in vielen Gesellschaften halten die Mitglieder und ihre Angehörigen das ganze Jahr über Kontakt. Sie machen gemeinsame Ausflüge, hören sich (ganz ernsthafte) Vorträge an, besichtigen Kirchen und Museen und feiern zusammen Familienfeste. Derselben Gesellschaft gehören der Manager und der Angestellte an, der Anwalt und der Polizist, der Pfarrer und der Parteifunktionär, der Handwerker und der Universitätsprofessor. Das ist schon etwas besonderes in dieser Stadt, in der Kontakte zwar schnell geschlossen werden (an der Theke zum Beispiel), jedoch häufig eher unverbindlich bleiben.

An der 1388 gegründeten Universität lernen mehr als 50 000 Studenten

Zu den Einrichtungen, die ganz besonders ein Eigenleben führen, gehört die Universität, mit über 50 000 Studenten eine der größten in der Bundesrepublik (daneben gibt es in der Stadt noch die Fachhochschule, wo etwa 20 000 Studenten mehr praxisbezogen ausgebildet werden, die international angesehene Sporthochschule und eine Musikhochschule). Die Universität wurde 1388 gegründet, ist also etwa 600 Jahre alt. Doch schon vorher war Köln eine Hochburg der Geisteswissenschaften. Der Dominikaner Albertus Magnus hat hier gelehrt, er war 1248 von der Pariser Hochschule nach Köln gesandt worden, um ein »Generalstudium« seines Ordens zu gründen, eine Lehranstalt von abendländischem Rang. Zu ihren Lehrern gehörten Thomas von Aquin und Meister Ekkehard. Ein Lehrer dieser Anstalt, der Theologe Alexander von Kempen, war es denn auch, der im Auftrag der Stadt bei Papst Urban VI. die Genehmigung zur

Gründung einer Universität in Köln erbat. Am 21. Mai 1388 entsprach der Papst den »ergebenen Bitten von Bürgermeister, Schöffen und Bürgern von Köln«.
In Köln lehrten viele Professoren, die von der damals bedeutendsten europäischen Hochschule in Paris gekommen waren. Deshalb nahm die neue Universität bald eine hervorragende Stellung ein; von ihr gingen wesentliche Impulse aus. So war einer ihrer Lehrer der Theologieprofessor, Doktor der Rechte und der Medizin Agrippa von Nettesheim, einer der ersten Gelehrten, die mit wissenschaftlichen Argumenten gegen den Hexenwahn kämpften. Doch gibt es auch Beispiele akademischer Unduldsamkeit und Engstirnigkeit. In Köln, wo die Protestanten besonders erbarmungslos verfolgt und die beiden lutherischen Prediger Adolf Klarenbach und Peter von Fliesteden öffentlich hingerichtet worden waren, verweigerte die Universität bedeutenden protestantischen Gelehrten die Professur.
Streit mit den Franzosen, die das von ihnen besetzte Köln als Teil ihres Reiches betrachteten, führte 1798 zur Auflösung der Universität. Einige Professoren, unter ihnen der Rektor Ferdinand Franz Wallraf, hatten der Republik den Treueid verweigert. Es sollte bis ins nächste Jahrhundert dauern, ehe eine vielversprechende Wendung eintrat. Gustav von Mevissen, Generaldirektor der Rheinischen Eisenbahngesellschaft, Präsident der Kölner Handelskammer und viele Jahre lang Mitglied des preußischen Herrenhauses, stellte der Stadt das Geld zur Errichtung einer Handelshochschule zur Verfügung. Sie wurde am 1. Mai 1901 eröffnet, zunächst am Hansaring; 1907 bezog sie einen Neubau in der Nähe des Rheinufers an der Claudiusstraße. Das Haus überstand den Bombenhagel. Nach dem Zweiten Weltkrieg, als die Lufthansa Köln als Sitz ihrer Hauptverwaltung wählte, wurde es deren erstes Verwaltungsgebäude; heute wird dort wieder unterrichtet, unter anderem an der Fachhochschule für Bibliotheks- und Dokumentationswesen.
Der Handelshochschule wurde eine »Akademie für praktische Medizin« angeschlossen sowie eine Hochschule für soziale und kommunale Verwaltung. Christian Eckert, der Rektor des Instituts kämpfte jahrelang um den Universitätsstatus. Er fand Bundesgenossen in Konrad Adenauer, dem Oberbürgermeister von Köln, und dem Präsidenten der Handelskammer, Louis Hagen. 1919 wurden die Bemühungen schließlich vom Erfolg gekrönt. Die Regierung in Berlin gab nach, die Kölner Universität konnte mit einem Festakt im Gürzenich wieder eröffnet werden. Zehn Jahre später begann die Stadt, die allein Träger der Hochschule war, mit dem Neubau des Hauptgebäudes. Es bestand aus sechs mehrgeschossigen Flügeln. In einer Zeit, in der die Menschen bittere Not litten und die Steuereinnahmen nur ganz spärlich flossen, bedurfte eine solche Investition ungeheuren Mutes. Der Neubau wurde 1934 fertiggestellt; die Nationalsozialisten, die Konrad Adenauer soeben aus dem Amt geworfen hatten, verbuchten die neue Universität schamlos auf ihrem Erfolgskonto.
Auch dieses Gebäude blieb vom Krieg so weit verschont, daß darin schon 1945 mit Genehmigung der Militärregierung der Lehrbetrieb wieder aufgenommen werden konnte. In der Aula fanden die ersten Theateraufführungen der Nachkriegszeit statt. Besucher und Schauspieler aus jenen Tagen glauben heute, in Köln sei seitdem nie mehr so engagiert Theater gespielt und erlebt worden.
Die Universität zu Köln war immer noch eine städtische Einrichtung. Doch die geschundene Stadt, deren Wiederaufbau Milliarden verschlang, konnte es sich nicht leisten, ihre Hochschule so auszubauen, wie es den Bedürfnissen von Forschung und Lehre entsprach. 1954 stimmte der Rat der Stadt Köln zu, die Universität in die Obhut des Landes Nordrhein-Westfalen zu geben.

Konrad Adenauer, der Oberbürgermeister, der Köln groß machen wollte

Schon einige Male war in diesem Text von Konrad Adenauer die Rede, der die Messegesellschaft gegründet, die Fordwerke nach Köln geholt und die Wiedereröffnung der Universität erreicht hat. Er hat noch mehr getan. Adenauer, von 1917 bis 1933 Oberbürgermeister und davor seit 1906 Beigeordneter, wollte Köln zur bedeutendsten Stadt am Rhein machen. Er machte sie durch Eingemeindungen zumindest zur größten. Köln ist in den vergangenen 100 Jahren immer wieder durch das Hinzunehmen benachbarter Gebiete gewachsen; zum vorläufig letztenmal 1975. In jenem Jahr hatte die Stadt für kurze Zeit mehr als eine Million Einwohner. Doch von dieser Zahl brachte das Oberverwaltungsgericht in Münster Köln wieder herunter; es urteilte, die Stadt Wesseling sei dem großen Nachbarn vom Landtag zu Unrecht zugeschlagen worden und müsse wieder selbständig werden. Andere Gemeinden, beispielsweise Porz, die mit demselben Anspruch vor Gericht gezogen waren, blieben Köln hingegen erhalten.
Unter Konrad Adenauer wurde, wie gesagt, besonders aktiv eingemeindet. Um im Norden Kölns, bei Niehl, einen Industriehafen bauen und Gewerbegebiet er-

schließen zu können, holte er 1922 die Bürgermeisterei Worringen mit ihrem vornehmlich ländlichen Areal in die Stadt Köln. Das bedurfte großer Überredungskunst, denn diese Eingemeindung wurde nicht wie die von 1975 durch Landesgesetz verordnet, sondern durch Verträge zwischen den beteiligten Kommunen besiegelt. Beim Überreden half dem der Zentrumspartei angehörenden Oberbürgermeister ein junger Sozialdemokrat: Robert Görlinger, der nach dem Zweiten Weltkrieg auch einmal Oberbürgermeister von Köln war.

Wenn es um seine Ziele ging, dann suchte sich Konrad Adenauer seine Verbündeten in allen Parteien. So verschaffte er sich vor dem Bau der Mülheimer Brücke (1927–1929) die Hilfe der kommunistischen Stadtratsfraktion, um das von ihm bevorzugte Modell durchzusetzen. Das Stadtparlament hatte bereits den Bau einer Bogenbrücke beschlossen, doch Adenauer wünschte eine elegantere Form, eine Hängebrücke. Es gelang ihm, den Beschluß umzustoßen – mit Hilfe der Kommunisten. Denen habe er, schreibt der langjährige Kommunalpolitiker und Rats-Chronist Peter Fröhlich, vor allem mit dem Hinweis imponiert, auch in der Sowjetunion würden solche Brücken viel gebaut.

Die heute in den Programmen aller politischen Parteien enthaltene Forderung, Ökonomie und Ökologie ausgewogen zu berücksichtigen, war für Adenauer schon in den zwanziger Jahren aktull – ohne daß er Schlagworte, wie sie heute gebräuchlich sind, je verwendet hätte; er pflegte sich ja ganz einfach auszudrücken, was seiner Popularität zweifellos dienlich war. Jedenfalls war der Wirtschaftsförderer Konrad Adenauer zugleich auch der Schöpfer der Kölner Grüngürtel. Unter seiner Regie wurden zwei grüne Bänder um das linksrheinische Köln gelegt, eines, etwa sieben Kilometer lang dicht am Stadtzentrum, der Innere, und eines von 30 Kilometern Länge am Stadtrand, der Äußere Grüngürtel. Auch hierfür wurden hohe Geldbeträge benötigt, wenngleich die Stadtverwaltung einen Teil der Anlagen von Arbeitslosen im Rahmen von Notstandsarbeiten tun ließ. Die Grünplanung stammte von dem aus Hamburg abgeworbenen Baudirektor Fritz Schumacher.

Mit dem Grüngürtel entstand auch das Müngersdorfer Stadion, dem Köln bis heute seinen Ruf als Sportstadt verdankt. In den Jahren 1973 bis 1975 wurde die Arena modernisiert. Sie verfügt seitdem über 65 000 überdachte Plätze.

Die Zeit nach dem Ersten Weltkrieg war günstig für eine umfassende Grünplanung. Köln war ja eine Festung gewesen; sehr größe Ländereien mußten für militärische Zwecke freigehalten werden. Schon gegen den Abbruch der mittelalterlichen Stadtmauer hatten Militärstrategen Bedenken geäußert. Eine zivile Nutzung des die Stadt nach Westen absichernden Festungsrayons mit seinen Forts hätten sie nie geduldet. Nach dem verlorenen Krieg aber verfügte die britische Besatzungsmacht, der Rayon müsse verschwinden. Nun war freilich ein Teil des Geländes in privatem Besitz, die Eigentümer widersetzten sich der Forderung, es als öffentliches Grünland zur Verfügung zu stellen. Es kam zu Enteignungsverfahren. In den Streit schalteten sich auch Bauern aus dem Umland ein, die das Land gern bewirtschaften wollten. Sie versuchten sogar die Stadt zu erpressen, indem sie eine Zeitlang keine Milch nach Köln lieferten. Adenauer brach auch diesen Widerstand.

Köln hat sich bemüht, Adenauers Erbe zu pflegen und auszubauen. Zwar erlaubte die Stadt nach dem Zweiten Weltkrieg einigen Unternehmen und Institutionen, unter anderem dem Bundesamt für Verfassungsschutz, im inneren Grüngürtel zu bauen, doch wachten die Bürger eifersüchtig darüber, daß dergleichen nicht überhand nahm. Heute gelten die Grüngürtel als unantastbar. Nach dem Zweiten Weltkrieg, auch in den Jahren, in denen Konrad Adenauers Sohn Max Chef der Kölner Stadtverwaltung war, sind in den Außenbezirken der Stadt Millionen von Bäumen neu angepflanzt worden. Der Stadtdirektor Hans Berge hat sich darum besondere Verdienste erworben. Die unter seiner Regie gepflanzten Bäumchen schirmen inzwischen die Stadt nicht nur optisch von den chemischen Werken im Norden und Süden weitgehend ab, sie sorgen auch für eine gewisse Luftreinhaltung.

In einem Kölner Garten wachsen Bäume und Pflanzen aus vielen Ländern

Eine der schönsten nach 1945 entstandenen Grünanlagen ist der Forstbotanische Garten in der Nähe des 1975 eingemeindeten Vororts Rodenkirchen. Hier wachsen auf einer Fläche von 25 Hektar Bäume, Sträucher und Pflanzen aus vielen Teilen der Welt, aus Japan, China, Afrika und Amerika. Fachleute können beobachten, wie fremde Arten hierzulande heimisch werden. Gartenfreunde finden Anregungen für die Gestaltung ihrer Grundstücke. Doch ist diese Anlage mehr als ein Lehrbeispiel für Botaniker. Hier wurde heimische und importierte Natur geschickt koordiniert, seltene Bäume, die in botanischen Gärten meist nur als Einzelexemplare stehen, wurden hortweise zusammengefaßt. Außerdem ist der Forstbotanische Garten so angelegt, daß er zu jeder Jahreszeit er-freut; selbst bei Schnee und Eis öffnen sich hier Blüten. Näher an der Innenstadt gelegen, in unmittelbarer Nachbarschaft zum Zoo, gibt es außerdem noch einen Botanischen Garten traditioneller Art mit gepflegten Außenanlagen und üppiger exotischer Vegetation in den Gewächshäusern. Im rechtsrheinischen Köln liegt schräg gegenüber von Dom und Altstadt der sich ans Messegelände anschließende Rheinpark, der durch zwei Bundesgartenschauen über Köln hinaus bekanntgeworden ist.

Im Rahmen ihrer Liegenschaftspolitik sorgt die Stadt selbst bei knappen Einnahmen dafür, daß neben Reserveflächen für Industrie- und Gewerbeansiedlung auch Gebiete zum Luftschnappen und Erholen angekauft werden. Der letzte größere Kauf dieser Art war der des Gutes Mieleforst. Es liegt in der Nähe des Königsforstes, dem beliebtesten stadtnahen mit der Straßenbahn vom Zentrum aus in einer halben Stunde erreichbaren Erholungswald der Kölner.

Köln war, wie schon gesagt, keine Residenzstadt. Hier gibt es nicht wie in den Orten, in denen Fürsten und Bischöfe herrschten, kunstvoll gestaltete, zentral gelegene Parks. Bezeichnenderweise heißt Kölns größte innerstädtische Grünanlage Volksgarten. Gleichwohl verfügt die Stadt über mehr Grün als die meisten anderen Großstädte Europas – 66 Quadratmeter pro Einwohner. Und überall darf der Rasen betreten werden. Das teuerste Stück Grün wurde zu Beginn der achtziger Jahre bepflanzt, der Rheingarten vor Dom, Museumsneubau und Altstadt. Die vielbefahrene Uferstraße wurde in einen Tunnel verlegt, darüber wachsen nun Wiesen und Bäume. Das malerischste Stück von Köln liegt nun wirklich am Rhein und nicht mehr an einer Rennbahn.

Unter den Grün- und Erholungsgebieten in Köln darf der Zoologische Garten nicht unerwähnt bleiben. Er ist einer der schönsten in Deutschland. Mehr als 6500 Tiere leben dort, wo immer es möglich ist in Freianlagen ohne Gitter. 1985, als der Kölner Zoo 125 Jahre alt wurde, war die Eröffnung des Urwaldhauses für Menschenaffen die Attraktion des Jubiläumsjahres. Es wurde zu einem großen Teil von einem Förderverein finanziert. Privatinitiative hatte schon 1860 die Gründung des Tiergartens ermöglicht. Viele Kölner waren dem Aufruf des Oberlehrers Dr. Caspar Garthe gefolgt: »Jeder soll sich mit glühendem Eifer herandrängen, sein Scherflein beizutragen.« Freunde des Kölner Zoo trugen und tragen nicht nur Scherflein, sondern auch beachtliche Summen bei. Erst jüngst konnte dank der 200 000-Mark-Spende einer Kölnerin der Kauf eines Nashorns finanziert werden. Zur Zeit der Gründung war der Zoo in Köln (genau wie in anderen Städten) auch ein Ort, in dem wilde Bestien einem Publikum präsentiert wurden, das Nervenkitzel suchte. Heute wird dort, ohne daß der Schaueffekt zu kurz käme, Artenschutz betrieben und propagiert. Auch das äußere Bild des Tiergartens hat sich gewandelt. Von den Bauten der Gründungszeit sind nur noch wenige erhalten.

Die meisten der ersten Gebäude, darunter auch das Wohnhaus des Direktors, konnten damals nur aus Holz oder leichtem Fachwerk errichtet werden. Sie standen im Festungsrayon, und die Militärbehörde hatte zur Bedingung gemacht, daß es möglich sein müsse, sie ganz schnell abzureißen, damit die Kanonen des nahegelegenen Forts »Prinz Heinrich von Preußen« im Kriegsfall freies Schußfeld hätten. Nur der Bärenzwinger, der außerhalb des Rayongeländes lag, durfte massiv sein. Er hat die Zeitläufe überstanden. Noch heute wundern sich Besucher zuweilen, warum die Bären in einer Art romantischer Ritterburg untergebracht sind. Die Erklärung ist einfach. Der Architekt Franz Koch hat es so gewollt – und er hat den Bau gestiftet.

Mäzenatentum hat in Köln immer eine große Rolle gespielt; schon beim Bau des Doms und der romanischen Kirchen (sowie bei ihrem Wiederaufbau, für den sich ein großer Förderverein einsetzt). Auch nach dem Zweiten Weltkrieg engagierten sich immer wieder Kölner Bürger für ihre Stadt, sei es, daß sie Brunnen stifteten oder den Direktoren der Museen halfen, Schätze zu erwerben, die aus dem öffentlichen Etat nicht bezahlt werden konnten. Eine Stiftung ist auch der Rathausturm; die Zünfte hatten ihn einst finanziert. Und entsprechend dieser Tradition sorgte die Kölner Handwerkerschaft dafür, daß er nach dem Zweiten Weltkrieg wieder aufgebaut werden konnte.

Das Rathaus stand schon im zwölften Jahrhundert am heutigen Platz

Das Kölner Rathaus wird als »Haus der Bürger« in der Mitte des zwölften Jahrhunderts erstmals erwähnt. Es liege, heißt es in einer Schrift von 1149, »im Judenviertel«; sein Standort ist also unverändert geblieben. Es brannte ab und wurde 1360 neu gebaut, mit dem »Langen Saal« im Obergeschoß. Dort haben vermutlich 1367 die Delegierten der Hansestädte getagt und die Kriegserklärung an den dänischen König Waldemar beschlossen. In der Erinnerung daran heißt der Raum »Hansasaal«. Auch er fiel dem Bombenkrieg zum Opfer und wurde nach historischem Vorbild wiedererrichtet; ebenso wie die

Renaissancelaube vor dem Rathausneubau. Im modernen Stil entstand der gegenüberliegende »Spanische Bau« neu. Sein Name erinnert daran, daß hier im Dreißigjährigen Krieg das katholische Militärbündnis, die »Spanische Liga«, getagt hatte.
Bei den Ausschachtungsarbeiten für den neuen Spanischen Bau lagen von Anfang an Archäologen auf der Lauer. Das war nicht gerade üblich beim Wiederaufbau Kölns. In den ersten Nachkriegsjahren galt auf vielen Baustellen das Worte der Poliere an die Bauarbeiter: »Wer etwas findet, wird gefeuert.« Denn die sorgfältige Untersuchung des Baugrundes durch die Archäologen bedeutete in aller Regel erheblichen Zeit- und Geldverlust, unter Umständen sogar Umplanungen, wenn altes Mauerwerk erhalten und überbaut werden sollte. Wer immer im Zentrum von Köln ein Loch gräbt, stößt ja mit hoher Wahrscheinlichkeit auf Zeugnisse der Vergangenheit.
Vermutlich 38 v. Chr. ist auf heutigem Kölner Stadtgebiet das »oppidum Ubiorum« gegründet worden. Als Tochter des Feldherrn Germanicus kam hier Agrippina minor zur Welt, die später den römischen Kaiser Claudius heiratete. Auf ihren Wunsch hin verlieh der Kaiser der Ansiedlung die Stadtrechte und den Namen »Colonia Claudia Ara Agrippinensium«. Unter soviel hoher Protektion entwickelte sich »Colonia« (aus dem Wort leitet sich der Name Köln her) zu einer bedeutenden, wohlhabenden Stadt. Ausgräber fanden unzählige Beweise dafür und bewahrten sie, beispielsweise das Stück Römerstraße, das fast original zusammengefügt vom Domplatz in Richtung Rhein führt, oder die Reste der römischen Mauer in der Tiefgarage am Dom. Es gibt sicher nicht viele so geschichtsträchtiger Parkplätze in der Welt ...
Die speziellen Kölner Bodenschätze locken immer wieder illegale Ausgräber. Römische Funde bringen im Handel ein schönes Stück Geld. Es gibt allerdings auch Beispiele für gute Zusammenarbeit zwischen offiziellen und Amateur-Archäologen. Das markanteste steht im Römisch-Germanischen Museum: das Grabmal des Poblicius. Junge Leute waren darauf gestoßen, als sie im elterlichen Haus am Chlodwigplatz einen Partykeller ausbauten. Sie legten das Monument in langwieriger Arbeit frei und verkauften es der Stadt schließlich für eine halbe Million Mark.
Die Geschichte hat eine Fortsetzung: Als das Grabmal schon in der Obhut der Stadt war, schlug ein Bauarbeiter den Kopf des Poblicius ab und verscherbelte ihn für ein paar Zigaretten an einen Tabakhändler. Der erfuhr aus der Zeitung, was er sich da eingehandelt hatte, und brachte den Kopf nach kurzer Gewissenserforschung zurück.
Das Poblicius-Denkmal erregte in Köln erhebliches Aufsehen; mehr als andere, für die Rekonstruktion der Stadtgeschichte wichtigere Funde. Stark beachtet und geradezu enthusiastisch gefeiert wurden aber auch die erwähnten Ausgrabungen unter dem Spanischen Bau des Rathauses. Professor Dr. Otto Doppelfeld hat sie geleitet, der spätere Direktor des Römisch-Germanischen Museums. Er, der den Spitznamen »Oberboß der Unterwelt« als Ehrentitel trug, fand heraus, daß er auf die Überreste des römischen Prätoriums gestoßen war. Die Fundstelle im Keller des Verwaltungsgebäudes steht zur Besichtigung offen. Der Aufzug, der hinunter fährt, gab den Titel für ein vielgelesenes Sachbuch her: Mit dem Fahrstuhl in die Römerzeit. Da, wo Doppelfeld das Prätorium entdeckte, den Regierungssitz des römischen Gouverneurs von Niedergermanien (1. bis 4. Jahrh. n. Chr.), tagen heute der Rat der Stadt Köln und seine Ausschüsse.

Ein Begriff, der hier auf keinen Fall fehlen darf: der »kölsche Klüngel«

Wenn vom Rathaus die Rede ist, drängt sich der Übergang zu einem Thema auf, das in einem Bericht über Köln nicht fehlen darf, zum kölschen Klüngel. Der Mundartforscher und Herausgeber des wichtigsten Kölner Wörterbuchs, Professor Dr. Adam Wrede, führt das Wort auf das althochdeutsche »klungelin« = Knäuel zurück, ein Knäuel aus Vetternwirtschaft, Begünstigung durch Amts-, Berufs- oder Parteifreunde und aus geheimen Verabredungen zum Erlangen von Vorteilen, ob es sich nun um ein Pöstchen in einem Amt oder um die Vermittlung einer reichen Heirat handelt.
Der schlechte Ruf des kölschen Klüngels muß aus dem Mittelalter stammen, als die Angehörigen der Verwaltungsorgane der Freien Reichsstadt Köln kräftig klüngelten und dabei so manches Schäfchen ins Trockene brachten. Wohlhabende Familien stritten um Macht, Geld und Ansehen; das war die Richerzeche, eine Vereinigung reicher (richer) Bürger, bei deren Zusammenkünften über die Geschicke der Stadt beschlossen wurde, da waren die einflußreichen Zünfte (Berufsvereinigungen) und Gaffeln (ursprünglich gesellschaftliche Zusammenschlüsse mehrerer Zünfte) und das aus dem erzbischöflichen Hochgericht hervorgegangene Schöffenkollegium. Sie alle haben zweifellos Verdienste um die Befreiung der Stadt vom Einfluß kirchlicher und weltlicher Herrscher erworben. Sie waren aber auch bestrebt, den eigenen Einfluß zu mehren. Auch nachdem mit dem von 22 Gaffeln unterzeichneten

Verbundbrief eine städtische Verfassung in Kraft getreten war, die Rechte und Pflichten des Rates und der beiden Bürgermeister ebenso festlegte wie die Rechte der Bürger, endeten die Querelen nicht. Entmachtete Geschlechter holten zum Gegenschlag aus, und selbst der Verfasser des Verbundbriefs, der Stadtschreiber Gerlach von Hauwe, war in Verschwörungen verwickelt.

Immer wieder mißbrauchten im Mittelalter Rat, Gaffeln und Zünfte ihre Macht, es wurde Günstlingswirtschaft betrieben, und städtische Gelder wurden veruntreut. 1513 wurde der Verbundbrief durch einen Transfixbrief ergänzt, der den Bürgern ihre persönliche Freiheit garantierte – ein äußerst fortschrittliches Werk, das für viele Jahre Frieden und Ordnung brachte. Doch im 17. Jahrhundert kehrten die alten Zustände zurück. Wieder hatten die Kölner Gründe, über Mißstände in der Verwaltung, über Bestechlichkeit, Parteilichkeit und Ämterpatronage zu klagen. Nikolaus Gülich, Mitglied der Kaufmannsgaffel »Himmelreich« machte sich 1680 zum Anführer einer Gegenbewegung. Er wies den beiden Bürgermeistern schwere Amtsverfehlungen nach und löste den Rat auf. Doch die etablierte Macht erwies sich als stärker. Kaiser Leopold I, womöglich einseitig unterrichtet, erklärte Gülich zum Landfriedensbrecher. Der Rebell wurde bald darauf hingerichtet.

Der Klüngel von heute ist im Vergleich zu dem des Mittelalters ausgesprochen harmlos. In einer Zeit, in der Gesetze und Entscheidungsabläufe so kompliziert sind, daß nicht einmal Experten sich immer zurechtfinden, kann es zuweilen nützlich sein, mal augenzwinkernd eine Hintertür zu benutzen. Klüngel sei nur für den schlimm, der nicht drinsteckt, hat ein Kölner Politiker einmal Parteifreunden erklärt. Und Konrad Adenauer, der ja vorzüglich auf diesem Instrument zu spielen vermochte, fand eine noch harmlosere Definition: »Wir kennen uns, und wir helfen uns.« Jemanden zu kennen, der helfen kann, macht ja in der Tat manches leichter. Nicht nur in Köln; aber hier gibt es einen Namen dafür.

Köln – eine große Stadt in Bildern

Gläubige aus aller Welt kommen seit dem frühen Mittelalter zum Kölner Dom, um an dem Schrein der Heiligen Drei Könige zu beten. Erzbischof Rainald von Dassel hatte die Reliquien 1164 aus Mailand nach Köln überführt.

Believers from all over the world have been coming to Cologne Cathedral since the early Middle Ages to pray at the shrine of the Three Magi. Archbishop Rainald von Dassel brought the relics to Cologne from Milan in 1164.

Depuis le haut Moyen-Age, les croyants du monde entier se pressent vers la cathédrale de Cologne, le «Dom», pour se recueillir devant la châsse des Rois Mages. Les Saintes Reliques ont été ramenées de Milan à Cologne en 1164 par l'archevèque Rainald von Dassel.

Heilige, die die irdische Welt überwunden haben, sind in der Chorschrankenmalerei dargestellt. Die Bilder oberhalb des Chorgestühls im Hochchor des Domes sind in der ersten Hälfte des 14. Jahrhunderts entstanden.

Saints who have defeated the mortal world are depicted on the parclose. The pictures above the choir stall in the high choir of the Cathedral were created in the first half of the 14th century.

Sur les peintures ornant le buffet du choeur, des Saints qui ont résisté aux tentations du siècle. Les images surplombant les stalles du choeur principal ont été réalisées dans la première moitié du 14e siècle.

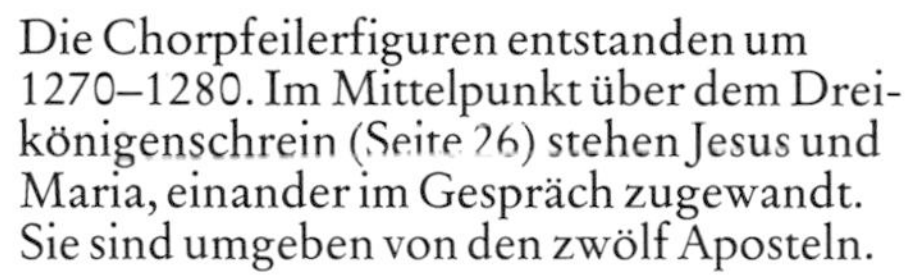

Die Chorpfeilerfiguren entstanden um 1270–1280. Im Mittelpunkt über dem Dreikönigenschrein (Seite 26) stehen Jesus und Maria, einander im Gespräch zugewandt. Sie sind umgeben von den zwölf Aposteln.

The figures on the choir pillars were created between 1270 and 1280. In the centre above the shrine of the Three Magi (Page 26) stand Jesus and Mary turned to one another in conversation. They are surrounded by the twelve apostles.

C'est aux environs de 1270–1280 que les figures ornant les piliers du choeur ont vu le jour. Au dessus de la châsse des Rois Mages (page 26), au centre, on peut voir Jésus et Marie en conversation, entourés des Douze Apôtres.

Die Stadtpatrone St. Ursula und St. Gereon huldigen zusammen mit den Heiligen Drei Königen der Madonna und dem Jesuskind – Festtagsseite des um 1445 entstandenen Dreiflügelaltars von Stephan Lochner, der 1809 aus der Ratskapelle in den Dom kam.

The city patrons St. Ursula and St. Gereon, together with the Three Magi, pay homage to the Madonna and the child Jesus – the triptych by Stephan Lochner, created in about 1445 and brought to the Cathedral in 1809 from the town hall chapel, is opened on Holy days.

Les saints patrons de la ville, Ursule et Géréon, ainsi que les Rois Mages, rendant hommage à la Madone et à l'Enfant Jésus: un des trois volets du retable de Stéphane Lochner, peint en 1445 et transféré de la Chapelle du Conseil au Dom en 1809.

Das Gerokreuz in der Kreuzkapelle des Domes, um 970 von Erzbischof Gero gestiftet. Es ist eines der ersten monumentalen Kruzifixe des Abendlandes. Das 187 cm hohe Kreuz zählt zu den bedeutendsten Werken ottonischer Kunst.

The Gero cross in the transept chapel of the Cathedral, donated by Archbishop Gero around 970. It is one of the earliest Western monumental crucifixes. The 187 cm high cross ranks amongst the most important examples of Ottonian art.

La croix de Gero mise en place vers 970 dans la chapelle de la Croix: cette donation de l'archevèque Gero est l'un des premiers crucifix monumentaux de l'Occident. Haute d'un mètre quatre-vingt-sept cette croix est l'une des oeuvres les plus remarquable de l'art othonien.

Acht Gobelins, entworfen von Peter Paul Rubens, hängen zwischen Pfingsten und Fronleichnam über den Chorschranken des Doms. Die bis zu 7,33 Meter hohen Rubensteppiche wurden in Nürnberg gründlich restauriert. 1987 kamen sie in den Dom zurück.

Eight tapestries, designed by Peter Paul Rubens, hang above the parclose between Whitsun and Corpus Christi. The Rubens tapestries, which are up to 7.33 metres high, were carefully restored in Nuremberg and brought back to the Cathedral in 1987.

Entre la Pentecôte et la Fête-Dieu, huit tapisseries de Pierre Paul Rubens sont accrochées à l'aplomb du choeur. Minutieusement restaurées à Nuremberg, ces tapisseries qui atteignent 7 m 33 ont réintégré la cathédrale en 1987.

Welche Könige auf den »Königsfenstern« im Dom dargestellt sind, darüber wird viel gerätselt. Wahrscheinlich handelt es sich um die 24 Ältesten der Apokalypse und die 24 Könige Judas. Die Fenster umgeben den Hochchor.
A great mystery surrounds the identity of the kings depicted on the "kings' windows" in the Cathedral. The windows surround the high choir.
On s'est beaucoup interrogé sur le point de savoir quels personnages figuraient sur les «Vitraux des Rois». Les vitraux couronnent le chœur principal.

Blick vom hohen Mittelschiff in den Hochchor. Hier, in einem der ältesten Teile des gotischen Doms, wird das Konstruktionsprinzip von Meister Gerhard deutlich: Scheinbar schwerelos streben die Säulen zur Höhe. 17 Meter hohe Fenster verstärken den Eindruck.
View from the high nave into the high choir. Seemingly weightless, the columns tower upwards.
Coup d'oeil sur les hauteurs de la nef centrale. On a le sentiment que les piliers, apparemment libérés de toute pesanteur, s'élancent vers le ciel.

In der Mitte des 19. Jahrhunderts (1852 bis 1855) entstand die Fassade des südlichen Querhauses. Dombaumeister Zwirner arbeitete hier mit Schinkel und Boisserée zusammen, und auch König Friedrich Wilhelm IV. beteiligte sich an den Planungen.

The façade of the Southern transept was built in the middle of the 19th Century (1852–1855). Cathedral architect Zwirner worked on this together with Schinkel and Boisserée. King Friedrich Wilhelm IV also helped draw up the plans.

C'est au milieu du 19e siècle, entre 1852 et 1855, que fut érigée la façade du transept Sud. Ici, le bâtisseur Zwirner collabora avec Schinkel et Boisserée, et le roi Frédéric-Guillaume IV lui-même prit part à l'élaboration des plans.

Köln stand in Flammen, doch der Dom blieb erhalten. Unter dem Eindruck der Schrecken des Zweiten Weltkriegs schuf der Bildhauer Ewald Mataré 1953 bis 1954 die Bronzeportale der Südfassade. Das Bild zeigt einen Ausschnitt.

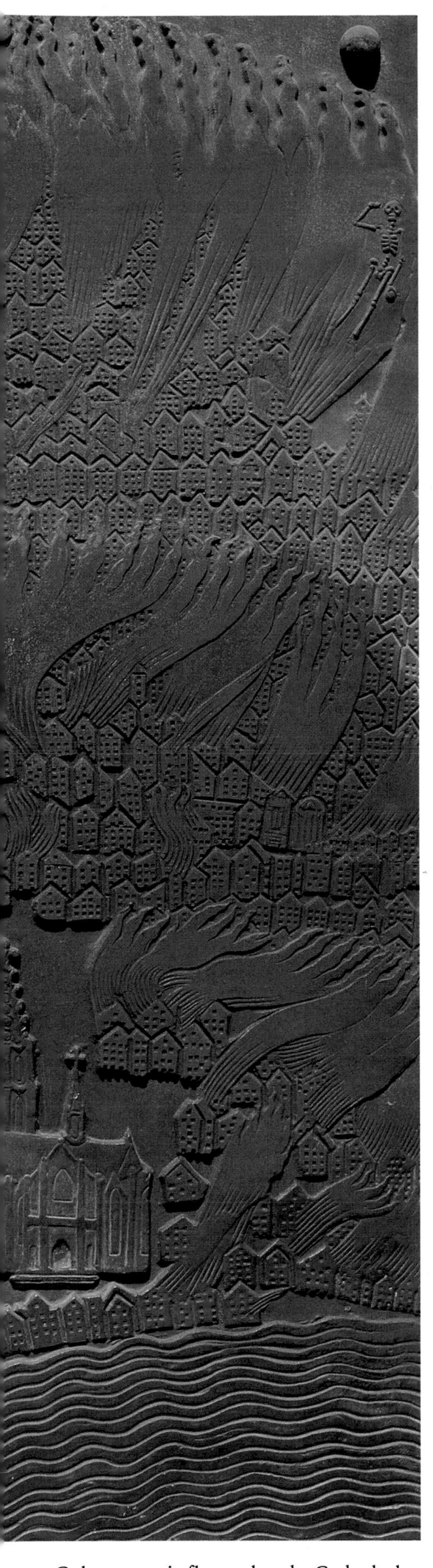

Die Nordfassade des Doms (erbaut 1843 bis 1855) ist ein wenig einfacher gestaltet als die prächtige südliche Schauseite.

The Northern façade of the Cathedral (built between 1843 and 1855) is not as elaborate as the magnificent Southern side.

Construite entre 1843 et 1855, la façade Nord de la cathédrale est d'une facture plus sobre que la superbe façade Sud.

Die Westfassade des Kölner Doms ist die größte Kirchenfassade der Welt. Sie wurde 1872 bis 1880 nach einem Plan aus dem 13. Jahrhundert errichtet. Das Tympanon des Mittelportals zeigt Szenen aus dem Alten Testament und dem Leben Christi.

The Western façade of Cologne Cathedral is the largest church façade in the world. It was constructed between 1872 and 1880 along the lines of a plan drawn up in the 13th Century. The tympanum of the centre portal depicts scenes from the Old Testament and the life of Christ.

La façade Ouest de la cathédrale, la plus vaste façade d'église au monde. Elle fut érigée entre 1872 et 1880, selon les plans du 13° siècle. Le tympan du portail central montre des scènes de l'Ancien Testament et de la vie de Jésus.

Cologne was in flames, but the Cathedral remained intact. Influenced by the horrors of World War II, the sculptor Ewald Mataré created the bronze portals of the Southern façade between 1953 and 1954. The picture shows a section.

Dans Cologne en flammes, la cathédrale fut épargnée. C'est le sculpteur Ewald Mataré, marqué par les horreurs de la Deuxième guerre mondiale, qui a conçu, entre 1953 et 1954, le portail de bronze de la façade Sud. La photo en montre un détail.

Bauten von der Römerzeit (rechts Reste einer römischen Wasserleitung) bis in die Gegenwart (links ein Gebäude der fünfziger Jahre) prägen die Domumgebung. Vor dem Reichardhaus, seit 100 Jahren Café, eine Nachbildung einer Kreuzblume des Doms.

Buildings from the Roman era (right: remains of a Roman water aqueduct) to the present day (left: a building constructed in the Fifties) characterize the area surrounding the Cathedral. In front of the Reichardhaus, which has been a café for 100 years, an imitation of the Cathedral finials.

L'environnement de la cathédrale se compose de constructions qui vont de l'époque romaine (à droite, les vestiges d'un aqueduc) à notre 20e siècle. En face du Reichardhaus, un café centenaire, un fac-similé du fleuron de la cathédrale.

Musikanten und Gaukler aus aller Welt finden auf den Plätzen um den Dom ihr Publikum.

Musicians and entertainers from all over the world find an audience in the squares surrounding the Cathedral.

Musiciens et bateleurs des quatre coins du monde ne manquent pas de public sur les places bordant la cathédrale.

Der Petrusbrunnen an der Dom-Nordseite neben dem Domherrenfriedhof. Im Volksmund wird er »Drügge Pitter« genannt, weil er früher nur selten sprudelte. Obwohl er längst nicht mehr »drügg« (also trocken) ist, hat er seinen Spitznamen behalten.

St. Peter's fountain on the North side of the Cathedral next to the canons' cemetery. The locals call it "Drügge Pitter" because it only used to bubble rarely. Although it has not been "drügg" (dry) for some time now, it has kept its nickname.

La «Source de Pierre», au pied du flanc Nord de la cathédrale. On l'appelle familièrement «Drügge Pitter», «Pierrot-le Sec» car, dans le temps, l'eau n'en jaillissait que de loin en loin. Ce surnom lui est resté bien qu'elle ne soit plus «drügg» (à sec) depuis belle lurette.

Hier wanderten schon die Römer zum Rhein. Eine bei Ausgrabungen entdeckte römische Straße wurde so wieder angelegt, wie sie vor zweitausend Jahren ausgesehen hat.

Here the Romans too strolled down to the Rhine. A Roman street discovered during excavations was reconstructed to look like it did over two thousand years ago.

Ici les Romains déjà déambulaient le long du Rhin. L'une des voies romaines mises au jour par les fouilles a été réaménagée telle qu'elle était il y a quelque deux mille ans.

Das Domhotel ist eines der ältesten großen Hotels der Stadt. Von der Terrasse blickt man auf den Dom und das Römisch-Germanische Museum. Man genießt, wie von einem Logenplatz aus, das bunte Leben auf dem Roncalliplatz.

The Dom Hotel is one of the oldest large hotels in the city. The terrace looks onto the Cathedral and the Roman-Germanic museum. You can enjoy the colourful comings and goings in Roncalliplatz square from this vantage point.

L'un des plus anciens grands hôtels de la ville: le Domhotel. Sa terrasse donne sur la cathédrale et le Musée germano-romain. De là on peut suivre, comme d'une loge de théâtre, le spectacle animé qui se déroule sur la place Roncalli.

Die imposante Halle des Kölner Hauptbahnhofs. Die Stahlkonstruktion hatte durch Kriegseinwirkung und Luftverschmutzung gelitten. Ein Neubau stand zur Diskussion. Doch dann restaurierte die Bundesbahn das technische Denkmal mit hohem Kostenaufwand.

The imposing hall of Cologne main station. The steel structure had suffered during the war and from air pollution. A new design was considered, but the Federal Railways decided to restore this technical monument at great expense.

L'imposante halle de la gare centrale de Cologne. Sa structure d'acier ayant souffert de la guerre et de la pollution atmosphérique, on envisagea de la reconstruire à neuf; mais en fin de compte la Bundesbahn (les Chemins de fer fédéraux) opta pour la restauration de ce témoin de l'architecture industrielle, ce qui entraîna des frais considérables.

COLOGN
NEBEN-
AUSGANG

Majestät scheint durch die Domtürme zu reiten. Reiterstandbilder verschiedener Hohenzollern schmücken die Hohenzollernbrücke. Sie wurde 1907 bis 1911 gebaut und ersetzte die 1859 errichtete erste feste Rheinbrücke seit der Antike.

Their Majesties appear to ride through the Cathedral towers. Equestrian statues of various Hohenzollern monarchs decorate the Hohenzollern bridge. It was built between 1907 and 1911 and replaced the first permanent Rhine bridge since Roman times built in 1859.

Chevauchée majestueuse au travers des tours de la cathédrale: les statues équestres de quelques uns des Hohenzollern ornent le pont qui porte leur nom, le Hohenzollernbrücke. Construit entre 1907 et 1911, il a remplacé l'ancien ouvrage d'art, construit en 1859, qui avait été le premier pont en dur à enjamber le Rhin depuis l'Antiquité.

Der Hauptbahnhof liegt unmittelbar am Dom. Stadtplaner schätzen das gar nicht, weil der Bahndamm die Innenstadt durchschneidet. Viele Reisende aber genießen es, direkten Anschluß an den Dom und die in seiner unmittelbaren Nachbarschaft liegenden Museen zu haben.

The main railway station is right next to the Cathedral. The city planners do not like this at all, as the railway embankment cuts through the city centre. However, many travellers appreciate being in the direct vicinity of the Cathedral and the nearby museums.

La Gare Centrale jouxte la cathédrale, au grand dam des urbanistes car le remblai du chemin de fer coupe en deux le centre de la ville. En revanche, les touristes apprécient d'avoir ainsi un accès direct à la cathédrale et aux musées avoisinants.

In den fünfziger Jahren wurde der Kölner Hauptbahnhof neu aufgebaut. Eine Wiederherstellung des im Krieg schwer beschädigten Gebäudes aus dem vorigen Jahrhundert erwies sich als zu kostspielig – was viele Kölner immer noch bedauern.

Cologne main railway station was re-built in the Fifties. To have restored the original building, constructed in the last century and badly damaged during the War, would have proven too expensive. Many people of Cologne still regret this to this day.

La Gare Centrale de Cologne fut reconstruite dans les années cinquante. Restituer au bâtiment, gravement endommagé pendant la guerre, son aspect du siècle dernier s'avéra trop onéreux; on y renonça, mais bien des Colonais ne s'en sont toujours pas consolé.

Köln ist die Stadt der romanischen Kirchen. Deshalb hat diese Kirche, St. Mariä Himmelfahrt an der Marzellenstraße, Seltenheitswert: Die ehemalige Jesuitenkirche, erbaut zwischen 1618 und 1715, ist ein reiner, prunkvoll ausgestatteter Barockbau.

Cologne is the city of Romanesque churches. For this reason, this church, St. Mariä Himmelfahrt in Marzellenstrasse has a rarity value: the former Jesuit church, built between 1618 and 1715, is a genuine, magnificently decorated Baroque building.

Cologne étant la ville des églises romanes, l'église de l'Assomption, sur la Marzellenstrasse, fait figure de rareté; ancienne église des Jésuites, érigée entre 1618 et 1715, c'est un somptueux édifice du plus pur Baroque.

Zwei Gotteshäuser, zwei Stile. Vorn die Barockkirche St. Mariä Himmelfahrt. Sie wurde von den Jesuiten errichtet, die 1544 nach Köln kamen, hier ein Kloster gründeten und auch ein bedeutendes Gymnasium leiteten. Im Hintergrund der gotische Dom.

Two houses of worship, two styles. In the foreground, the Baroque church of St. Mariä Himmelfahrt. It was built by the Jesuits, who came to Cologne in 1544, founded a monastery here and also ran an influential grammar school. In the background, the Gothic Cathedral.

Deux Maisons de Dieu, deux styles. Devant, l'église baroque de l'Assomption de Marie. Elle fut érigée par les Jésuites qui arrivèrent à Cologne en 1544, y fondèrent un cloître et dirigèrent un important lycée. A l'arrière-plan, la cathédrale gothique.

In der Pfarrkirche von St. Andreas betete Papst Johannes Paul II. bei einem Besuch in Köln am Grab des Gelehrten Albertus Magnus (1193–1280). Die romanische Kirche wird von Dominikanern betreut, die in einem benachbarten modernen Klostergebäude leben.

During a visit to Cologne, Pope John Paul II prayed at the grave of the scholar Albertus Magnus (1193–1280) in St. Andrew's parish church. The Romanesque church is tended by Dominican friars who live in a neighbouring modern monastery building.

Lors de sa visite à Cologne, le pape Jean-Paul II alla se recueillir sur la tombe du sage Albert le Grand, en l'église paroissiale St. André. Ce sont des Dominicains, vivant dans un couvent tout proche, qui sont en charge de cette église romane.

Am Rand des Bankenviertels, behutsam eingebunden in moderne Bebauung, liegt die Kirche St. Andreas. Im Inneren bilden die Vorhalle mit ihren eigentümlichen Zackenbogen (Bild unten) und die Seitenkapellen geschlossene Einheiten.

St. Andrew's church is situated on the edge of the banking district, carefully integrated into modern surroundings. Inside, the vestibule with its characteristic multifoil arches (picture at bottom) and the side chapels form self-contained units.

L'église St. André, à la limite du quartier des banques, est judicieusement intégrée à son environnement moderne. A l'intérieur, le narthex avec son arc dentelé caractéristique (photo du bas) et les chapelles latérales forment des ensembles homogènes.

Das Chorgestühl von St. Andreas mit seinen geschnitzten Figuren stammt aus der Zeit um 1420.

The choir stall of St. Andrew's with its carved figures dates back to about 1420.

Les stalles de St. André, avec leurs figures sculptées, remontent à 1420.

Viele Bauten im Bankenviertel Unter Sachsenhausen wurden sorgsam restauriert, wie diese Fassade aus der Zeit der Jahrhundertwende. Dicht bei der »Straße des Geldes« eine Stätte der Einkehr, das katholische Kongreßzentrum Maternushaus (Bild unten).

Many buildings in the banking district around Unter Sachsenhausen were carefully renovated, for example this façade dating back to the turn of the century. A place for reflection is the Maternushaus Catholic congress centre (bottom picture) just off "Money Street".

De nombreux bâtiments de «Unter Sachsenhausen», le quartier des banques, ont été soigneusement restaurés: ainsi cette façade remontant au tournant du siècle. Tout près de la «rue de l'or», un lieu de recueillement: la Maternushaus, le Centre de Congrès catholique (photo du bas).

Der Amtssitz des Regierungspräsidenten. Daß der Statthalter der Landesregierung zuweilen in die Stadt hineinregiert, paßt den selbstbewußten Kölnern gar nicht.

The offices of the President of the administrative district. The independent people of Cologne are not at all pleased when the governor of the regional parliament occasionally interferes in the administration of the city.

Le siège du gouvernement local (la Préfecture). Le «gouverneur», représentant le pouvoir provincial, doit de temps à autre, s'immiscer dans les affaires de la ville, ce qui ne plaît pas trop aux Colonais jaloux de leurs prérogatives.

Der Brunnen vor der Industrie- und Handelskammer symbolisiert den Wiederaufbau »Stein um Stein«. Dahinter ein neuklassizistisches Bürohaus.

The fountain in front of the Chamber of Industry and Commerce symbolizes the "brick by brick" economic recovery. In the background, a new office block in Neo-Classicistic style.

La fontaine devant la Chambre de Commerce et d'Industrie symbolise la reconstruction «pierre à pierre». Derrière, un immeuble de bureaux néo-classique.

Der Stadtpatronin ist diese Kirche geweiht, St. Ursula, die zusammen mit (nach der Legende) 11 000 Jungfrauen »ihr Blut für Christi Namen vergossen hat«. Die um das Jahr 400 erbaute Kirche wurde mehrmals umgebaut, erweitert und im Krieg schwer beschädigt.

This church is dedicated to the city patron, St. Ursula, who together with other virgins (11,000 according to the legend) "spilt her blood in Christ's name". The church, which was built around the year 400, has been renovated on several occasions and extended. It was badly damaged during the war.

Cette église est dédiée à la patronne de la ville, Ste. Ursule, qui, avec 11.000 vierges (si l'on en croit la légende), a versé son sang pour le Christ. Maintes fois endommagée par les guerres, reconstruite, agrandie, cette église a été érigée aux alentours de l'an 400.

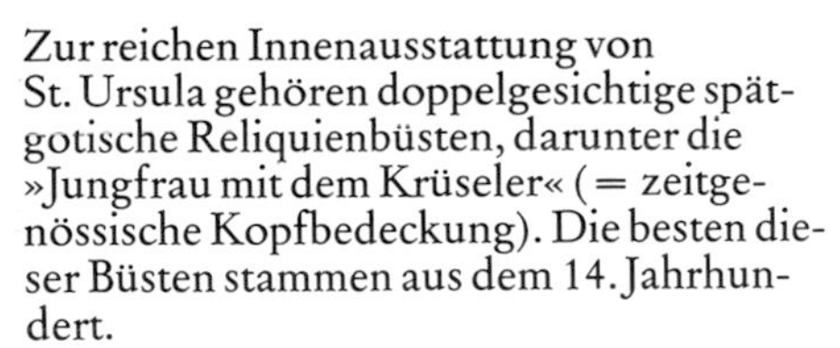

Zur reichen Innenausstattung von St. Ursula gehören doppelgesichtige spätgotische Reliquienbüsten, darunter die »Jungfrau mit dem Krüseler« (= zeitgenössische Kopfbedeckung). Die besten dieser Büsten stammen aus dem 14. Jahrhundert.

Two-headed late-Gothic reliquary busts are part of the rich interior of St. Ursula.

Entre autres reliques, la riche décoration intérieure de Ste. Ursule comprend des bustes du gothique flamboyant à double face.

Im gotischen Hochaltar befinden sich elf Jungfrauenstatuen. Sie erinnern an den Kult um die Märtyrerin Ursula und ihre 11 000 Gefährtinnen. Im Mittelalter in Köln gefundene Knochen wurden als Reliquien der Opfer verehrt (unten: die Goldene Kammer).

In the Gothic high altar are 11 virgin statues. They are reminders of the cult surrounding the martyr Ursula. Below: the Golden Chamber.
Sur le maître-autel gothique, onze statues de vierges rappellent le culte de Ste. Ursule. En bas: la Chambre Dorée.

Wo immer in der Kölner Innenstadt gegraben wird, stoßen Archäologen auf römische Überreste. Große zusammenhängende Teile der römischen Stadtmauer sind im Lauf der Jahre freigelegt worden. Einer ihrer besterhaltenen Teile ist der Römerturm.

No matter where excavations are carried out in Cologne, Roman relics are found. Large contiguous sections of the Roman city wall have been uncovered in the course of the years. The Roman tower is one of the best preserved sections.

Au coeur de Cologne, où que l'on donne un coup de pioche, les archéologues sont sûrs de tomber sur des vestiges romains. Partie intégrante du mur d'enceinte romain, des fragments ont été mis au jour dans le courant de cette année. Parmi les mieux conservés: la Tour des Romains.

Das Zeughaus, in dem die Kölner im Mittelalter ihr Rüstzeug aufbewahrten, ist Sitz des Stadtmuseums (oben). Gegenüber liegen die Alte Wache des preußischen Militärs (unten links) und der in der Preußenzeit erbaute Justizpalast (unten rechts).

The armoury building, where the people of Cologne kept their weapons in the Middle Ages, houses the city museum (top). Opposite, the old guardhouse of the Prussian military (bottom left) and the Palace of Justice (bottom right) built in the Prussian days.

L'Arsenal, où les Colonais entreposaient leur armement au Moyen-Age, est le siège du musée municipal (en haut). En face, la Vieille Garde de l'armée prussienne (en bas à gauche) et le Palais de Justice édifié sous les Prussiens (en bas à droite).

St. Gereon zählt zu den schönsten mittelalterlichen Kirchen des Abendlandes. Im Dekagon bilden von Meistermann und Buschulte entworfene Fenster und die Fußbodengestaltung von Hillebrand und Dilthey eine liturgische und künstlerische Einheit.

St. Gereon is one of the most attractive mediaeval churches in the Western world. Windows created by Meistermann and Buschulte in the decagon and the floor design by Hillebrand and Dilthey form a liturgical and artistic unit.

St. Géréon, l'une des plus belles églises de l'Occident médiéval. Dans le Décagone, il se dégage une grande unité liturgique et artistique des vitraux de Meistermann et Buschulte et de la décoration du sol réalisée par Hillebrand et Dilthey.

Die im Krieg so schwer beschädigte Gereonskirche wiederherzustellen, dauerte Jahrzehnte. 1987 wurde diese Nebenkapelle vollendet.

It took decades to restore St. Gereon's church, which was so badly damaged dur-

ing the war. The side-chapel was completed in 1987.

Il a fallu des dizaines d'années pour reconstruire St. Géréon, très gravement touchée par la guerre. Cette chapelle latérale a été terminée en 1987.

Sonnenlicht läßt ein Fenster von Buschulte leuchten (Bild oben). Unten: der Kreuzigungsaltar aus Kalkstein in der Krypta.

Sunshine lights up a window by Buschulte (top picture). Below: the limestone crucifixion altar in the crypt.

Le soleil fait resplendir un vitrail de Buschulte (photo du haut). En bas: l'autel de la Crucifixion, réalisé en castine, dans la crypte.

Um 355 wurde über dem Grab des römischen Hauptmanns Gereon, des Märtyrers und Kölner Stadtpatrons, eine Kirche errichtet. Sie wurde mehrmals erweitert, umgebaut und restauriert, wobei Gotik, Renaissance, Barock und das 19. Jahrhundert wertvolle Beiträge leisteten.

As early as around 355, a church was built over the grave of Gereon, a Roman captain, martyr and patron saint of Cologne. It has been extended, rebuilt and restored on several occasions. Gothic, Renaissance, Baroque and 19th-Century architecture all made valuable constributions to the style of the church.

C'est en l'an 355 déjà qu'une église fut érigée sur la tombe du capitaine romain Géréon, martyr et patron de Cologne. Elle fut agrandie à maintes reprises, transformée et restaurée après des dévastations successives. Restauration auxquelles le Gothique, la Renaissance, le Baroque et le 19° siècle ont apporté une notable contribution.

Goldene Flammen im Gewölbe des Dekagons von St. Gereon. Sie symbolisieren nach der Überlieferung der Bibel die Erscheinungsweise des Heiligen Geistes. Das 48 Meter hohe Dekagon überragte bis in dieses Jahrhundert hinein alle Häuser des Stadtteils.

Golden flames on the dome of the decagon of St. Gereon. They symbolize the appearance of the Holy Spirit as depicted in the Bible. Up until this century, the 48-metre tall decagon towered above all the houses in this quarter.

Flammes d'or sur la voûte rouge du Décagone de St. Géréon. Selon la tradition biblique, elles symbolisent l'apparition du Saint Esprit. Jusqu'en ce siècle, le Décagone a dominé de ses 48 mètres tous les édifices du quartier.

Versicherungsbauten prägen in der Assekuranzstadt Köln weitgehend das Stadtbild; oft mit großen, teuren Verwaltungsbauten. Aber auch dieses Haus gehört einer Versicherung. Sie erwarb es, als das dort ansässige Stadtarchiv einen Neubau bezog.

Insurance buildings, often large and expensive, greatly influence the townscape of Cologne, the insurance city. But this house is also owned by an insurance company. It was acquired when the city archives were moved to a new building.

Cologne est la ville des compagnies d'assurances; leurs sièges, la plupart du temps riches et imposants, font partie intégrante de l'image de la ville. Et pourtant, cette maison elle aussi appartient à une compagnie d'assurances, qui l'a acquise au moment où les Archives de la ville l'ont quittée pour un immeuble neuf.

Büro- und Verwaltungsgebäude des Gerling-Konzerns. Um einen 15geschossigen Turm am Gereonshof (Architekt Erich Hennes) gruppieren sich Bürohäuser, Plätze und Brunnen. Die aufwendig gestalteten Bauten dominieren in dem Stadtviertel.

Office and administration buildings of the Gerling group. Office blocks, squares and fountains surround a 15-storey tower at Gereonshof (architect: Erich Hennes). The elaborate buildings dominate the quarter.

Bâtiments administratifs du groupe Gerling. Bureaux, administrations, places et fontaines se regroupent au pied d'une tour de 15 étages sur le Gereonshof (Architecte Erich Hennes). Dans ce quartier dominent les immeubles luxueux.

Die Schwarze Mutter Gottes in der Kupfergasse. Die äußerlich eher unscheinbare Kirche (s. S. 59 links) wird von vielen Gläubigen besucht, die von der Madonna Hilfe erbitten. Karnevalisten beten hier alljährlich um gutes Wetter am Rosenmontag.

The black Madonna in Kupfergasse alley. The church has a rather inconspicuous appearance (see page 59, left), but is visited by many believers who seek the Madonna's help. Carnival revellers pray here all year round for good weather on Shrove Monday.

La Vierge Noire dans la Kupfergasse. D'apparence plutôt modeste (voir p. 59 à gauche), l'église est fréquentée par de nombreux fidèles qui viennent y implorer l'assistance de la Madone et, chaque année, les carnavalistes de Cologne viennent y prier pour que le temps leur soit clément lors du Rosenmontag.

Ein früheres Bürgerhaus vollbepackt mit Technik. Der Westdeutsche Rundfunk bearbeitet hier Material für seine Sendungen.

A former town house packed full with technology. The Westdeutscher Rundfunk (WDR) edits the material for its TV and radio programmes here.

Surchargée de technique, ce qui fut autrefois une maison bourgeoise: c'est ici que le WDR, une des radios de Cologne, prépare la matière de ses émissions.

Wenig Laufkundschaft kommt in die Kreishausgalerie an der St. Apernstraße. Hier kauft ein spezielles Publikum Kunst.

Not everyone purchases art from the Kreishaus gallery in St. Apernstrasse. It is aimed at a specific type of customer.

Ce n'est pas une clientèle de passage qui fréquente la Kreishausgalerie de la St. Apernstrasse: les clients sont des connaisseurs, des amateurs d'art.

An einen Ozeandampfer erinnert das der Stadt gehörende Dischhaus an der Brückenstraße. Das 1929 errichtete Gebäude (Architekt Bruno Paul) wurde 1983/84 durchgreifend restauriert. Im Erdgeschoß des Verwaltungsgebäudes sind Läden untergebracht.

The Dischhaus in Brückenstrasse is owned by the city and resembles an ocean liner. This building, constructed in 1929 by the architect Bruno Paul, was completely renovated in 1983/84. There are shops on the ground floor of the administration building.

Brückenstrasse, un bâtiment aux allures de paquebot, la Dischhaus, est propriété de la ville. Erigé en 1929 par Bruno Paul, il a été restauré de fond en comble en 1983/1984. Des boutiques se sont ouvertes au rez de chaussée de ce bâtiment administratif.

Glatt und ohne Schörkel: das Scheibenhaus des WDR (oben). Im Stil des Mittelalters aus Beton gebaut: das 4711-Haus an der Oper.

Plain and simple, the WDR slab-type building (top). Built of concrete in the style of the Middle Ages, the 4711 building near the opera house.

D'une architecture dépouillée, l'immeuble «en tranches» du WDR (en haut). Place de l'Opéra, la maison de l'Eau de Cologne 4711, construite en béton dans un style médiéval.

Das Opernhaus (Architekt Wilhelm Riphahn) wurde 1957 eröffnet. Die Kölner nennen es wegen seiner Pyramidenform »Grabmal des unbekannten Intendanten«. In den Flügeln der Pyramide sind Werkstätten, Probe- und Verwaltungsräume untergebracht.

The opera house (architect: Wilhelm Riphahn) was opened in 1957. The people of Cologne call it the "Tomb of the unknown director" because of its pyramid shape. Workshops, rehearsal and administration rooms are housed in the wings of the pyramids.

L'Opéra, dû à l'architecte Wilhelm Riphahn, a été inauguré en 1957. Sa structure pyramidale lui a valu le surnom de «Tombeau de l'intendant (directeur) inconnu». Les ailes abritent les ateliers, les salles de répétition et les bureaux.

Der Offenbachplatz mit einem modernen Brunnen vor dem Opernhaus (Bild unten). Davor braust der Verkehr über die Nord-Süd-Fahrt.

Offenbachplatz square with a modern fountain in front of the opera house (picture below). Traffic whizzes past on the North-South axis.

La place Offenbach, avec sa fontaine moderne face à l'Opéra. Devant déferle la circulation du Nord-Süd-Fahrt.

Blick über die Minoritenkirche, in der sich die Gräber des irischen Gelehrten Duns Scotus und des Gesellenvaters Adolph Kolping befinden. Links das frühere Wallraf-Richartz-Museum, das der Stadtrat dem Museum für Angewandte Kunst zugewiesen hat.

View of Minoriten church, which houses the graves of the Irish scholar Duns Scotus and the apprentice teacher Adolph Kolping. On the left, the former Wallraf-Richartz Museum, which the city authorities have now allocated to the Museum of Applied Art.

Vue de l'église des Frères Mineurs, où sont inhumés l'érudit Duns Scotus et Adolf Kolping, père des «Compagnons». A gauche, ce qui fut le musée Wallraf-Richartz, dont le Conseil municipal a fait le musée des Arts appliqués.

Die Kirche St. Kolumba, genannt »Madonna in den Trümmern«. Das Gebäude war im Zweiten Weltkrieg bis auf ein paar Mauerreste zerstört worden. Der Architekt Gottfried Böhm hat diese Bausubstanz in den Neubau einbezogen.

St. Kolumba church, called "Madonna among the ruins". The building was destroyed during World War II, apart from a few walls. The architect Gottfried Böhm integrated them into the new building.

L'église Ste. Columba, la «Madone des Ruines». A la fin de la dernière guerre, il n'en restait que quelques pans de murs, que l'architecte Gottfried Böhm a intégrés à la construction nouvelle.

Stollwerck – ein Name mit Tradition in Köln. Das Unternehmen produziert nach wie vor Schokolade und Pralinen in Köln, aber es verkauft sie nicht mehr im Stollwerckhaus. Dort, am Eingang der Hohe Straße, sind exklusive Läden untergebracht worden.

Stollwerck – a name with tradition in Cologne. The company still makes chocolate and confectionery as it has always done, but it no longer sells them in the Stollwerck building. Here, where the Hohe Strasse begins, exclusive shops have been set up.

«Stollwerk»: à Cologne, ce nom est à lui seul toute une tradition. L'entreprise, qui produit encore pralines et chocolats, ne les vend plus dans la Maison Stollwerk; là, à l'entrée de la Hohe Strasse, se sont établis des magasins chics.

Des Schneiders Weib vertrieb die Heinzelmännchen; die Kölner müssen selbst arbeiten. Ein Brunnen (siehe Bild links) zeigt die Szene.

The tailor's wife drove the elves away; the people of Cologne have to work them-

selves. A fountain (see picture on left) depicts the story.

La femme du tailleur ayant chassé les lutins, les Colonais en sont réduits à se mettre eux-mêmes au travail. La scène est évoquée par la fontaine à gauche sur la photo.

Ladenpassagen werden in Großstädten immer beliebter – nicht nur zum Einkaufen, auch zum Flanieren, zum »Leute angukken«, was eine Lieblingsbeschäftigung der Kölner ist. Oft schafft in Passagen Kunst Atmosphäre.

Shopping arcades are becoming more and more popular in large cities, not only for shopping but also for a stroll and for "people-watching", a favourite pastime of the people of Cologne. A good atmosphere in these arcades is often created by works of art.

Dans les grandes villes, les galeries marchandes sont de plus en plus prisées, non seulement pour y faire des emplettes mais pour y flâner et dévisager les gens, une des activités favorites du Colonais. Une ambiance artiste règne souvent dans ces passages.

Kölns jüngste Museumsbauten. Mehr als zehn Jahre lagen zwischen Planung und Eröffnung im September 1986. Die Nähe zum Dom erforderte sorgfältige Vorbereitung. Die Architekten Busmann und Haberer entwarfen den Bau nach einem internationalen Wettbewerb.

Cologne's latest museum building. It took over 10 years to translate the plans into reality; opening in 1986. Careful preparation was necessary due to its proximity to the Cathedral. The architects Busmann and Haberer came up with the winning design in an international competition.

Le plus récent musée de Cologne. Plus de dix ans séparent les projets de l'inauguration, en Septembre 1986. La proximité de la cathédrale a requis des études très attentives. Ce sont les architectes Busman et Haberer qui ont conçu le bâtiment, à l'issue d'un concours international.

Ein neuer Weg vom Rhein zum Dom. Mit dem Museumsneubau wurde auch die Umgebung der Kathedrale neu gestaltet. Treppen führen nun an den Kulturbauten vorbei zur Kathedrale. Die Freiflächen wurden von dem israelischen Künstler Dany Caravan gestaltet.

A new route from the Rhine to the Cathedral. The area around the Cathedral was restructured when the museum was built. Steps now lead past the cultural buildings to the Cathedral. The open areas were designed by the Israeli artist Dany Caravan.

Une voie nouvelle mène du Rhin à la cathédrale. A l'occasion de la construction du musée, on a repensé tout l'environnement du Dom. Maintenant, des escaliers relient les bâtiments culturels à la cathédrale; les esplanades ont été conçues par l'architècte israélien Dany Caravan.

Alt und Neu im spannungsvollen Kontrast: Kölns größtes Museum in unmittelbarer Nachbarschaft von Kölns größter Kirche. Das ergibt reizvolle Ausblicke – etwa auf die Dachlandschaft (linkes Bild, das vom Dom herunter fotografiert worden ist).

Old and new in exciting contrast: Cologne's largest museum is directly next door to Cologne's largest church. From here, there are wonderful views, for instance onto the roof-top scenery (picture on the left taken from the top of the Cathedral).

Contraste violent entre l'ancien et le moderne: le plus grand musée de Cologne jouxte sa plus grande église. Cela donne des perspectives séduisantes, sur le paysage de toits, par exemple (photo de gauche, prise du haut de la cathédrale).

Moderne und alte Kunst in einem Haus. Das Museum Ludwig zeigt zeitgenössische Kunst. Das Wallraf-Richartz-Museum ist die Heimat der alten Meister. Außerdem ist eine bedeutende Sammlung aus der Geschichte der Fotografie untergebracht, das Agfa Foto-Historama.

Modern and traditional art in one building. The Ludwig museum exhibits contemporary art. The old masterpieces are housed in the Wallraf-Richartz museum alongside an important collection on the history of photography called the "Agfa Foto-Historama".

Art moderne et art ancien sous un même toit: le musée Ludwig expose des oeuvres contemporaines, le fonds Wallraff-Richartz étant, lui, le domaine des maîtres anciens. Par ailleurs, on peut voir ici une importante collection retraçant l'histoire de la photographie, l'Agfa Photo-Historama.

Unter dem Platz zwischen Domchor und Rheingarten befindet sich die Kölner Philharmonie mit 2000 Plätzen; Architekten: Busmann und Haberer, 1982–1986.

Between Cathedral chancel and the Rhine gardens is the Cologne Philharmonia with 2000 seats. Architects: Busmann and Haberer, 1982–1986.

La Philharmonie de Cologne avec ses 2000 places se trouve sous la place entre le choeur de la cathédrale et le ‹Rheingarten›. Architectes: Busmann et Haberer, 1982–1986.

Das Bürgerhaus »Zur Brezel« am Alter Markt, es wurde um 1580 erbaut. Nebenan ein Neubau mit der von Mataré neugeschaffenen historischen »Kallendresser-Figur«, die ihr Geschäft in der Dachrinne erledigt und dabei dem Rathaus respektlos das Hinterteil zeigt.

The "Zur Brezel" building in the old market square, built around 1580. Next door, a new building with the historical "Kallendresser" figure re-created by Mataré. He is relieving himself in the gutter and disrespectfully showing his behind to the town hall while doing so.

Une maison bourgeoise de 1580 sur l'Alter Markt, «Au Brezel». A côté, une construction nouvelle ornée du personnage historique «Kallendresser», refait par Mataré, qui se soulage dans la gouttière et n'hésite pas, en outre, à montrer sans vergogne son postérieur au Rathaus, l'Hotel de ville.

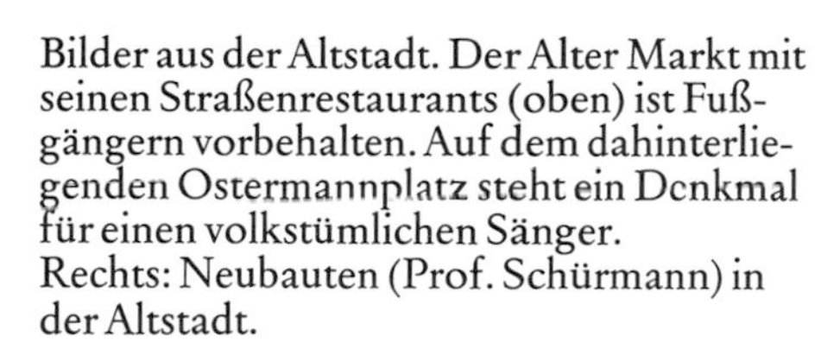

Bilder aus der Altstadt. Der Alter Markt mit seinen Straßenrestaurants (oben) ist Fußgängern vorbehalten. Auf dem dahinterliegenden Ostermannplatz steht ein Denkmal für einen volkstümlichen Sänger.
Rechts: Neubauten (Prof. Schürmann) in der Altstadt.

Scenes in the old part of town (Altstadt). The old market square with its street restaurants (top) is a pedestrian zone. Behind this in Ostermannplatz square stands a memorial to a folk singer. Right: new buildings (Prof. Schürmann) in the old town.

Images de la Vieille Ville. Le Alter Markt, le Vieux Marché, avec ses restaurants sur rue (en haut), est devenu piétonnier. Derrière, sur la place Ostermann, se dresse un monument à la gloire d'un chanteur populaire. A droite, des constructions nouvelles dans la Vieille Ville, dues au prof. Schürmann.

Die Altstadt am Ufer des Rheins. Rechts die romanische Kirche Groß St. Martin, daneben der Rathausturm. Die verkehrsreiche Rheinuferstraße liegt seit 1985 unter der Erde in einem Tunnel. Darüber befindet sich eine Grünanlage, der Rheingarten.

The old town on the banks of the Rhine. Right: The Romanesque church Gross St. Martin, next to the town hall tower. The busy Rheinuferstrasse road has been under the ground since 1985. Above it is a public park, the Rheingarten.

La Vieille Ville en bordure du Rhin. A droite, l'église romane Gross St. Martin tout à côté de la tour de l'Hotel de ville. Artère à grande circulation, la Rheinuferstrasse a été mise en sous-sol en 1985. Un espace vert, le Rheingarten, a été aménagé en surface.

KD
KD Köln-Düsseldorfer
RÜDESHEIM
DOMSPATZ

Noch ein Blick auf das Rheinpanorama; diesmal über die romanische Kirche Alt St. Heribert am rechtsrheinischen Deutzer Ufer hinweg. Vor dem Dom die Museumsneubauten. Das rote Gebäude im Hintergrund ist das Archivhaus des WDR.

Another view of the Rhine panorama, this time of the Romanesque Alt St. Heribert church in Deutz on the right-hand river bank. The museum buildings in front of the Cathedral. The red building in the background houses the WDR archives.

Un coup d'oeil encore sur le panorama du Rhin, cette fois sur l'église romane Alt St. Heribert, qu'on voit au loin sur le Deutzer Ufer, la rive droite du fleuve. En face de la cathédrale, les nouveaux bâtiments du musée. L'immeuble rouge, à l'arrière-plan, abrite les archives du WDR.

HOTEL
HOTEL
KD

Das Denkmal des Reitergenerals Jan von Werth auf dem Alter Markt. Die Kölner schätzen den Jan nicht als Helden aus dem 30jährigen Krieg; sie haben dem rüden Reiter eine Liebesaffäre mit einer Bauernmagd angedichtet, deren sie im Karneval gedenken.

The monument of the cavalry general Jan von Werth in the old market square. The people of Cologne do not think of Jan as a hero of the Thirty Year's War, but rather as the rough horseman who they say had a love affair with a farmer's daughter whom they remember at carnival time.

Le monument érigé au général de cavalerie Jan von Werth, sur l'Alter Markt; ce n'est pas le héros de la guerre de Trente ans que les Colonais honorent en lui: ils prètent au rude cavalier une histoire d'amour avec une fille de ferme et ils évoquent cet épisode au cours du Carnaval.

Zusammen mit den Domtürmen prägt die nach schweren Kriegszerstörungen wiederaufgebaute Kirche Groß St. Martin das Stadtpanorama. Sie wurde zwischen 1150 und 1250 von Benediktinern gebaut. Heute hat dort die portugiesische Gemeinde ihre religiöse Heimstatt.

Gross St. Martin church, restored after the war, and the Cathedral towers characterize the silhouette of the city. The former was built between 1150 and 1250 by Benedictine friars. Today, it is the house of worship of the Portuguese community.

Gravement endommagée par la guerre, reconstruite par après, l'église Gross St. Martin s'inscrit, avec les tours de la cathédrale, dans le panorama de la ville. Elle a été édifiée par les Bénédictins entre 1150 et 1250. C'est aujourd'hui le foyer religieux de la communauté portugaise.

Die Taufkapelle im Nord-Seitenschiff von Groß St. Martin. Die wertvollen Skulpturen, eine Kreuzigungs- und eine Grablegungsgruppe aus dem Anfang des 16. Jahrhunderts, konnten über den Krieg gerettet werden.

The baptistry in the North wing of Gross St. Martin church. Valuable sculpture, a Crucifixion group and a burial group dating back to the beginning of the 16th Century escaped damage during the War.

Le baptistère, dans la nef latérale nord de Gross St. Martin. Les sculptures précieuses du début du 16^{0} siècle ont été épargnées par la guerre.

Blick in das Langhaus von Groß St. Martin. Der Wiederaufbau der Kirche wurde von dem Architekten Joachim Schürmann geleitet. Er nutzte dabei die wenige erhalten gebliebene Bausubstanz, auch die Reste des Fußbodenmosaiks aus dem 19. Jahrhundert.

View of the nave of Gross St. Martin. The restoration work was directed by the architect Joachim Schürmann using the few remains of the building, including the remains of the floor mosaic dating back to the 19th Century.

La longue nef de Gross St. Martin. L'architecte Schürman, qui en a dirigé la reconstruction, a mis à profit le peu qui ait été conservé des matériaux d'origine et ce qui restait du pavement de mosaïque du siècle dernier.

Weiberfastnacht um 11.11 Uhr beginnt auf dem Alter Markt der Straßenkarneval. Dann sind die kölschen Jecken nicht mehr zu halten. Maskiert oder zumindest ein bißchen bunt verkleidet jubeln sie den »Tollitäten« Prinz, Bauer und Jungfrau und den närrischen Garden zu.

The Shrovetide women's street carnival begins at 11. 11. a.m. with a huge celebration in the old market square. Wearing masks, or at least dressed a little out of the ordinary, they drink to their carnival "majesties" the prince, the farmer and the virgin and their carnival guards.

«Weiberfastnacht»: à 11. 11. heures sur l'Alter Markt, une grande fête marque le début du Carnaval des rues. Masqués ou tout au moins vêtus de façon quelque peu colorée, ils acclament «Leurs Folles Altesses» le Prince, le Paysan et la Vierge ainsi que les Gardes Bouffons.

Nicht nur an den Tollen Tagen, wenn viele Kölner kostümiert sind, ist der Karneval im Stadtbild präsent. Ein Denkmal in der Altstadt ist dem ältesten Korps, den Roten Funken, ein Brunnen im Severinsviertel dem Karnevalssänger Karl Berbuer gewidmet.

It is not only on the official carnival days that Carnival makes its presence felt in the city. A monument in the old town is dedicated to the oldest carnival corps, the "Rote Funken" and a fountain in the Severin district to the carnival singer Karl Berbuer.

Mais ce n'est pas seulement au cours des folles journées que le Carnaval est présent dans la cité. Dans la Vieille ville un monument est dédié à la corporation la plus ancienne, les «Rote Funken»; dans le quartier Séverin, une fontaine jaillit en l'honneur du chanteur carnavalesque Karl Berbuer.

Das Kölner Rathaus, links von der Skulpturenterrasse des neuen Museums fotografiert, steht auf Mauern des römischen Prätoriums. Vor dem Haus liegen Ausgrabungen. Neben dem Turm bildet die Renaissancelaube (1573) einen Kontrast zu der Bronzewand von Ernst Wille (1972).

Cologne town hall stands on historical ground. In the cellar, there are walls of the Roman praetorium and ancient remains can be seen in front of the building. The Renaissance covered walk (1573) next to the tower contrasts with the bronze wall by Ernst Wille (1972).

L'Hotel de ville de Cologne est situé sur un sol historique: on peut voir dans ses caves des murs du prétoire romain; devant l'édifice, des fouilles. A côté de la tour, l'arcade Renaissance (1573) contraste avec le mur de bronze de Ernst Wille (1972).

Reich an Säulen und Ornamenten ist die Rathauslaube. Das Relief unter der Brüstung zeigt eine Szene aus einer Legende: den Kampf des Bürgermeisters Gryn mit einem Löwen, den Domherren ins Rathaus gebracht haben sollen, damit er den Bürgermeister töte.

The town hall's covered walk is rich in columns and decorations. The relief beneath the parapet depicts a scene from a legend: the battle of mayor Gryn with a lion. Canons are alleged to have brought the lion into the town hall to kill the mayor.

Chargée de colonnades et d'ornements, l'arcade de l'Hotel de ville. Sous la balustrade, un relief évoque une scène légendaire: le combat du bourgmestre Gryn avec un lion, amené là, paraît-il, par les chanoines du Dom pour qu'il les en débarrasse.

Im Hansasaal des Rathauses wurde 1367 die Konföderation der Hansestädte gegen den König von Dänemark beschlossen. Der Saal (an der nördlichen Stirnwand Figuren von acht Propheten, entstanden um 1410) wird heute für festliche Empfänge genutzt.

It was in the Hanseatic room of the town hall that the Hanseatic League joined forces against the King of Denmark in 1367. The room (on the Northern end wall, figures of eight prophets dating back to 1410) is today used for official receptions.

C'est dans la salle dite «de la Hanse» que fut conclue en 1367 l'alliance des villes hanséatiques contre le roi du Danemark. La salle (sur son fronton Nord, les figures de huit prophètes, façonnées en 1410) accueille aujourd'hui les réceptions de gala.

Kunstwerke aus Stein und Holz. Oben der Löwenhof. Unten: Prunktür von Melchior von Reidt (1610) am Durchgang zum Hansasaal.

Works of art in stone and wood. Top: the Löwenhof court. Bottom: state door at the entrance to the Hanseatic room by Melchior von Reidt (1610).

Oeuvres d'art de pierre et de bois. En haut, la Cour des Lions. En bas: porte d'apparat de Melchior von Reidt (1610), dans le couloir menant à la salle de la Hanse.

Der Gürzenich, erbaut 1437 bis 1444, ist bis heute Tanz- und Festhaus der Stadt. Hier, wo Kaiser und Könige empfangen wurden, feiern die Kölner zum Beispiel ihre prunkvollen Karnevalssitzungen. Der Bau ist nach einem alten Adelsgeschlecht benannt.

The Gürzenich, built between 1437 and 1444, is today still the dance and banqueting hall of the city. Here, where Emperors and Kings were once received, the people of Cologne hold their ceremonious Carnival sittings, for example. The building is named after a noble lineage.

Le Gürzenich, édifié entre 1437 et 1444, est la salle des fêtes municipale. C'est ici, par exemple, où furent reçus rois et empereurs, que sont organisées les fastueuses réunions de carnaval. «Gürzenich» est le nom d'une vieille famille noble.

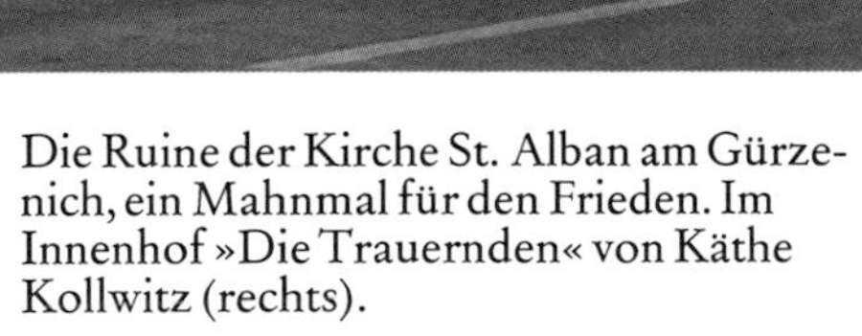

Die Ruine der Kirche St. Alban am Gürzenich, ein Mahnmal für den Frieden. Im Innenhof »Die Trauernden« von Käthe Kollwitz (rechts).

The ruins of St. Alban church near the Gürzenich building, a memorial to peace. In the courtyard, "The mourners" by Käthe Kollwitz (right).

Près du Gürzenich, les ruines de l'église St. Alban, mémorial de la paix. Dans la cour intérieure, «Le Deuil», de Käthe Kollwitz (à droite).

Die Hohe Straße, schon zur Römerzeit ein vielbenutzter Weg, gehört heute zu den wichtigsten Einkaufszentren Kölns. Sie ist täglich das Ziel von etwa 120 000 Kölnern und Besuchern der Stadt.

The Hohe Strasse (High Street) was a busy route in Roman times and today is one of the most important shopping centres in Cologne. 120,000 inhabitants of Cologne and visitors to the city come here every day.

Voie déjà très fréquentée à l'époque romaine, la Hohe Strasse est l'un des centres commerciaux les plus importants de Cologne. Elle voit passer chaque jour quelque 120.000 personnes, Colonais et visiteurs.

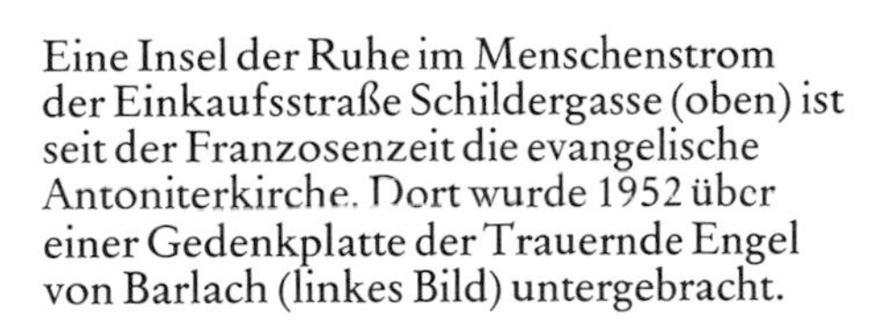

Eine Insel der Ruhe im Menschenstrom der Einkaufsstraße Schildergasse (oben) ist seit der Franzosenzeit die evangelische Antoniterkirche. Dort wurde 1952 über einer Gedenkplatte der Trauernde Engel von Barlach (linkes Bild) untergebracht.

The Antoniter church, Protestant since the French period, is an oasis of peace among the stream of people in the Schildergasse shopping street (above). In 1952, the angel in mourning by Barlach (left picture) was mounted here above a memorial plaque.

Ilot de calme dans le torrent humain de la très commerçante Schildergasse (en haut), l'église protestante des Antonines. C'est là que fut installé en 1952 l'«Ange Funèbre» de Barlach, flanqué d'une plaque commémorative.

Stadtplaner entwarfen um 1910 Gürzenichstraße und Schildergasse als »festlichen Straßenraum mit vornehmen Gebäuden«. Sie verlangten, die Fassaden in Werkstein zu bauen. Einige Kaufhäuser in diesem Stil wurden nach 1945 restauriert.

Around 1910, city planners conceived Gürzenichstrasse and Schildergasse as a "lively street area with upper-class buildings". They demanded that the façades be built using ashlar. Some of the department stores in this style were restored after 1945.

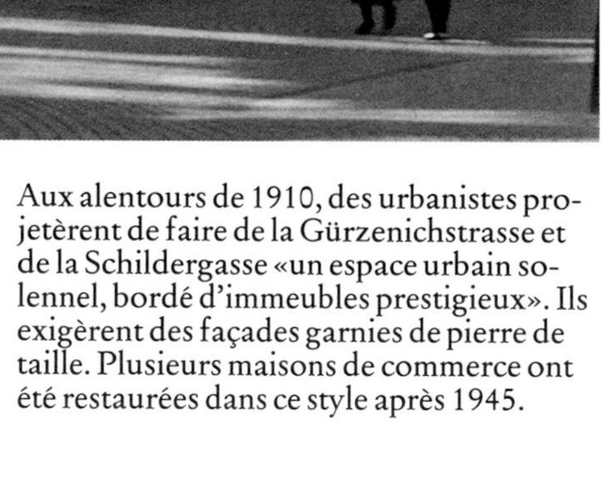

Aux alentours de 1910, des urbanistes projetèrent de faire de la Gürzenichstrasse et de la Schildergasse «un espace urbain solennel, bordé d'immeubles prestigieux». Ils exigèrent des façades garnies de pierre de taille. Plusieurs maisons de commerce ont été restaurées dans ce style après 1945.

KAUFHOF

Pferdeköpfe spiegeln sich am Neumarkt in einer Kaufhauspassage, Erinnerung an eine Legende: Der Kaufmann Richmodis glaubte nicht, daß seine soeben beerdigte Frau noch lebe, »Eher laufen meine Pferde auf den Turm«. Sie kletterten wirklich; die Frau war scheintot gewesen.

Horses heads are reflected in a department store façade on Neumarkt, a reminder of a legend; the merchant Richmodis did not believe that his wife who he had just buried was still alive, "My horses are more likely to climb up the tower". They did – his wife only seemed to be dead.

Sur le Neumarkt, des têtes de cheval se reflètant dans la façade d'une grande surface renvoient à une légende: le marchand Richmodis ne voulait pas croire que sa femme, qu'on venait de porter en terre, vivait encore. «Plutôt voir mes chevaux courir sur le beffroi!» Ils y grimpèrent bel et bien, l'épouse n'était morte qu'en apparence.

Der Neumarkt war einst der Exerzierplatz der preußischen Soldaten – und Aufstellungsort der Karnevalszüge. Heute ist er Knotenpunkt für Bahnen und Busse. Archäologen vermuten, unter dem Platz lägen wertvolle Ruinen aus der Römerzeit.

Neumarkt was once the drill square of Prussian soldiers – and the start of the carnival procession. Today, it is the central terminal for buses and trams. Archaeologists suspect that precious ruins from the Roman era are buried beneath the square.

Le Neumarkt était autrefois un champ de manoeuvre des troupes prussiennes; c'est là aussi que se formaient les cortèges carnavalesques. Aujourd'hui, il est un très important point d'embranchement pour les métros, les trams et les bus. Quant aux archéologues, ils présument que le sous-sol de la place recèle d'inestimables ruines romaines.

Als die mittelalterliche Stadtmauer um 1880 niedergerissen wurde, damit Köln erweitert werden konnte, blieben einige der mächtigen Stadttore erhalten, darunter das Hahnentor mit zwei Türmen. Auf einem von ihnen stand im 15. Jahrhundert eine Mühle.

When the mediaeval city wall was pulled down around 1880 for the further expansion of Cologne, some of the sturdy city gates remained intact, including the Hahnentor gate with two towers. A windmill stood on one of them in the 15th Century.

Lorsque, en 1880, on abattit le mur d'enceinte médiéval pour agrandir Cologne, on conserva quelques unes des puissantes portes de la ville, entre autres la Hahnentor, flanquée de ses deux tours. Sur l'une d'elles, autrefois, tournaient les ailes d'un moulin.

Mehrere Staaten unterhalten in Köln Kulturinstitute wie die britische »Brücke« (Bild oben). Unten: Ein moderner »Bazaar« an der Mittelstraße mit 63 Läden (Architekt Gruhl).

Several countries maintain cultural institutes in Cologne, such as the British "Brücke" (top picture). Below: a modern "bazaar" in Mittelstrasse with 63 shops (architect: Gruhl).

Plusieurs Etats entretiennent à Cologne des Instituts culturels, ainsi, pour la Grande Bretagne, «Die Brücke» (photo du haut). En bas: un Bazar moderne dans la Mittelstrasse, regroupant 63 magasins (architecte: Gruhl).

Der mächtige Bau jener romanischen Kirche, die zu den schönsten im Rheinland zählt, St. Aposteln. Ihr 67 Meter hoher Turm ist der höchste romanische in Köln. Die Kirche, deren Schauseite zum Neumarkt ausgerichtet ist, wurde vermutlich 872 erbaut.

The impressive building of the Romanesque church of St. Aposteln, one of the most attractive in the Rhineland area. Its 67 metre high tower is the tallest of its kind in Cologne. The church, whose front façade faces Neumarkt, was probably built in 872.

Formes puissantes d'une église romane qui compte parmi les plus belles de Rhénanie: les Saints Apôtres. Haut de 67 mètres, son chlocher est la plus haute tour romane de Cologne. L'église, dont la façade donne sur le Neumarkt, a vraisemblablement été érigée en 872.

Ostvierung und Langhaus von St. Aposteln; Blick nach Westen auf die Orgelempore. Sepp Hürten, der 1975 die Altarzone (im Bild im Vordergrund) neugestaltete, hielt sich dabei an die mittelalterlichen Motive von Leuchterkrone und eucharistischer Taube.

Eastern crossing and main building of St. Aposteln; view to the West of the organ gallery. When he redesigned the altar area in 1975 (in the foreground of the picture), Sepp Hürten kept to the Mediaeval subjects of chandelier and Eucharistic dove.

La croisée Est et la longue nef des Saints Apôtres. Coup d'oeil vers l'Ouest, sur la galerie de l'orgue. Sepp Hürten, qui réaménagea en 1975 la zone de l'autel (à l'avant-plan sur la photo), prit en compte les motifs médiévaux du lustre et de la colombe eucharistique.

Die Kommunikation in einer mit der Welt verbundenen Großstadt erfordert hohen Aufwand. Die Post hat in Köln mehrere Hochbauten dafür errichtet, unter ihnen das Fernmeldezentrum an der Cäcilienstraße, wo auch die Bildschirmtext-Zentrale gebaut wurde.

Maintaining communications in a big city with connections all over the world requires a lot of effort. The Post Office has built several high-rise buildings in Cologne, including the telecommunications centre in Cäcilienstrasse, where the Bildschirmtext centre was also built.

Dans une grande cité en prise sur le monde, la communication implique d'importantes mises de fonds. Ainsi la Poste a-t-elle construit à Cologne plusieurs buildings, parmi lesquels le Centre de Communication et la Centrale de Télétexte, sur la Caecilienstrasse.

Kulturbauten am (nach einem Mäzen der Museen benannten) Haubrichhof. Bild oben: die Zentrale der Stadtbücherei. Unten die Fassade der Volkshochschule mit einem von Arnoldo Pomodoro gestalteten Relief. Neben der Volkshochschule liegt die Kunsthalle.

Cultural buildings in Haubrichhof (named after a patron of the museums). Top picture: the central library. Below, the façade of the Volkshochschule (adult education centre) with a relief designed by Arnoldo Pomodoro. The art gallery is next to the adult education centre.

Bâtiments culturels sur le Haubrichhof, du nom d'un bienfaiteur des musées. Photo du haut: la centrale de la bibliothèque municipale. En bas, la façade de l'Université populaire, avec un relief dû à Arnoldo Pomodoro. A côté, la Kunsthalle.

Eine Kirche, die zum Museum wurde, St. Cäcilien nahe beim Neumarkt. Hier, im Schnütgen-Museum, wird mittelalterliche, im wesentlichen christliche, Kunst stimmungsvoll präsentiert. Weihnachten wird alljährlich in St. Cäcilien eine Messe gefeiert.

A church which was converted into a museum, St. Cäcilien near Neumarkt. Here, in the Schnütgen museum, mediaeval art, predominantly Christian, is exhibited in a period atmosphere. Every Christmas, mass is celebrated at St. Cäcilien.

Une église devenue musée: Ste. Cécile, à côté du Neumarkt. Le musée Schnütgen présente de façon suggestive l'art du Moyen-Age, principalement l'art chrétien. Chaque année, on célèbre encore la messe de Noël à Ste. Cécile.

Ganz in der Nähe von St. Cäcilien, an der Leonhard-Tietz-Straße, steht die Pfarrkirche St. Peter, der letzte gotische Kirchenbau in Köln. Zu den Schätzen dieses Gotteshauses gehört ein spätes Rubensbild (vom ehemaligen Hochaltar): die Kreuzigung Petri.

Quite close to St. Cäcilien in Leonhard-Tietz-Strasse is the parish church of St. Peters the last of Cologne's great gothic church buildings. The treasures of this church include a late Rubens painting (from the high altar): the crucifixion of Peter.

L'église paroissiale St. Pierre (St. Peter) tout près de Ste Cécile, dans la rue Leonhard Tietz est à Cologne la dernière église construite en style gothique. Parmi d'autres le trésor de l'église comprend un tableau qui ornait jadis le maître-autel, la «mise en croix de St. Pierre» de Rubens.

Die Kirche St. Maria im Kapitol steht dort, wo sich im 1. Jahrhundert n. Chr. der römische Kapitolshügel befand. Erzbischof Bruno gründete hier ein Kloster für die Benediktinernonnen. Papst Leo IX. weihte 1049 den ersten Bauabschnitt ein.

St. Maria im Kapitol church stands where once, in the 1st Century A.D., the Roman capitol hill stood. Archbishop Bruno founded a convent here for Benedictine nuns. In 1049, Pope Leo IX dedicated the first stage of the building.

L'église Ste. Marie du Capitole se dresse là où, au premier siècle de notre ère, se trouvait la colline «romaine» du Capitole. C'est ici que l'archevèque Bruno fonda un cloître de Bénédictines dont le pape Léon IX, en l'an 1049, consacra les premiers éléments.

Steinmetzkunst in Maria im Kapitol. Der Renaissancelettner (1517 bis 1525) zwischen Langhaus und Trikonchos wurde bei der Restaurierung der im Krieg zerstörten Kiche an seinem angestammten Platz wiedererrichtet (Bild unten).

Stonemasonry in St. Maria im Kapitol. The Renaissance rood screen (1517 to 1525) between the main building and the triconch was re-erected in its original place when the church was restored after the War (bottom picture).

L'art du tailleur de pierre à Ste. Marie du Capitole. Le jubé Renaissance (1517–1525), entre la longue nef et l'abside à trois conques a retrouvé sa place à la faveur de la restauration de l'église, mise à mal par la deuxième guerre mondiale (photo du bas).

Die Holztür in Maria im Kapitol (im Bild ein Ausschnitt: die Verkündigung und die Heimsuchung der Maria) entstand vor 1065. Sie gilt als die besterhaltene der christlichen Kunst. Die Figuren waren, wie Farbspuren zeigen, ursprünglich bemalt.

The wooden door in Maria im Kapitol (in the picture) showing the section depicting the Annunciation and the Visitation was made before 1065. It ist the best maintained example in Christian art. The figures were originally painted, as traces of colour reveal.

La porte de bois de Ste. Marie du Capitole, d'avant 1065 (détails: Annonciation et Visitation de la Vierge). On estime qu'elle est la mieux conservée de l'art chrétien; comme en témoignent las traces de couleur, les figures, à l'origine, étaient polychromes.

Die Trauernde von Gerhard Marcks wurde 1949 zum Gedenken an die Toten des Zweiten Weltkriegs vor der in Trümmern liegenden Kirche St. Maria im Kapitol aufgestellt. Hier finden alljährlich am Volkstrauertag Gedenkfeiern statt.

"The mourning woman" by Gerhard Marcks was erected in front of the ruins of St. Maria im Kapitol church in 1949 to commemorate those who fell in World War II. Memorial services are held here every year on national mourning day.

«Femme en deuil», de Gerhard Marcks. Hommage aux morts de la dernière guerre, la sculpture fut érigée en 1949 devant les décombres de Ste. Marie, ruine parmi les ruines. Tous les ans, on organise ici des cérémonies du souvenir.

Durch ein kleines Törchen (rechts im oberen Bild) kamen 1164 die Heiligen Drei Könige in die Stadt. Unten links die evangelische Trinitatiskirche, 1857 bis 1860 erbaut von Dombaumeister Zwirner. Rechts das Overstolzenhaus, ein Patrizierhaus aus dem 13. Jahrhundert.

The Three Magi entered the city in 1164 through a small gate (to the right in the top picture). Bottom left: the Protestant Trinitatis church, built between 1857 and 1860 by the master cathedral builder Zwirner. Right, the Overstolzenhaus, a patrician house dating back to the 13th Century.

C'est par cette petite porte que les Rois Mages, ou tout au moins leurs reliques, entrèrent dans la ville en 1164. En bas à gauche, l'église protestante de la Trinité (1857/1860), due à Maître Zwirner. A droite, la maison Overstolz, une demeure patricienne du 13e siècle.

Bei Grabungen innerhalb der Mauern von St. Georg fanden Archäologen Überreste eines römischen Polizeipostens, heute steht gegenüber dieser romanischen Kirche das Kölner Polizeipräsidium.

During excavations within the walls of St. Georg, archaeologists discovered the remains of a Roman guard. Today, the police headquarters of Cologne stand opposite this Romanesque church.

Lors de fouilles menées à l'intérieur des murs de St. George, les archéologues mirent au jour les vestiges d'un poste de police romain; aujourd'hui, en face de cette église romane, se trouve la préfecture de police.

Der Westchor von St. Georg. Das Raumerlebnis der Romanik läßt sich hier besonders deutlich empfinden. Der vom Verkehr umbrauste Waidmarkt vor der Kirche war einst ein intimer Platz. Davon blieb nur der Hermann-Joseph-Brunnen (1894) übrig.

The West choir of St. Georg. The expanse of the Romanesque era can be especially felt here. The busy Waidmarkt square in front of the church was once a quiet spot. Only the Hermann-Joseph fountain (1894) remains.

Le choeur Ouest de St. George. Le sens de l'espace du Roman est ici particulièrement sensible. Devant l'église, le Waidmarkt envahi par le grondement de la circulation était autrefois une petite place intime; il n'en reste plus que la fontaine Hermann-Joseph (1894).

Das Reiterdenkmal des Königs Friedrich Wilhelm III. war nach dem Zweiten Weltkrieg von Schrottsammlern verkauft worden. Ein Kölner Bühnenbildner baute den König aus Styropor nach und stellte ihn bei Nacht und Nebel auf. Ein Sturm fegte ihn schließlich fort.

The equestrian memorial to King Friedrich Wilhelm III was sold after World War II by scrap collectors. A stage designer from Cologne reproduced the King in polystyrene and set him up under the cover of night. In the end, a storm blew him away.

La statue équestre du roi Frédéric-Guillaume III a été vendue après la guerre par des marchands de ferraille. Un décorateur colonais en réalisa une version en styropore, qu'il mit en place à faveur de la nuit. Un coup de vent devait finalement l'emporter.

Das Haus St. Peter am Heumarkt ist eines der schönsten erhalten gebliebenen Wohnhäuser aus dem mittelalterlichen Köln. Es wurde 1568 erbaut. Charakteristisch für die Spätrenaissance sind die Giebel und die Gliederung der Fenster.

The St. Peter building at Heumarkt is one of the most attractive mediaeval houses which have survived in Cologne. It was built in 1568. The gables and the window structure are characteristic of the late Renaissance period.

La maison St. Pierre sur le Heumarkt, l'une des plus belles résidences du Cologne médiéval qui ait été conservée. Caractéristiques du Renaissance tardif: le pignon et la structure des fenêtres.

Am Rhein gelegen ist St. Maria Lyskirchen, eine recht kleine, intime romanische Kirche, erbaut um 1210. Sie war ein beliebtes Gotteshaus der Kapitäne und Matrosen, die hier zur Schiffermadonna, entstanden etwa 1415 bis 1420, beteten.

St. Maria Lyskirchen is situated on the banks of the Rhine, a relatively small, quaint Romanesque church built around 1210. It was a popular house of worship for captains and sailors who prayed to the mariner's Madonna, created between 1415 and 1420.

En bordure du Rhin, Ste. Maria Lys, une petite église de style roman, édifiée vers 1210. Capitaines et mariniers aimaient cette maison de Dieu, où ils venaient prier la Vierge des marins, sculptée entre 1415 et 1420.

Die Bedeutung der Gewölbe- und Wandmalereien in Maria Lyskirchen aus dem 13. Jahrhundert reicht weit über Köln hinaus. Sie wurde 1879 bis 1881 unter einer Übermalung entdeckt und sorgfältig freigelegt.

The significance of the vault and wall murals in Maria Lyskirchen, dating back to the 13th Century, extends well beyond Cologne. They were discovered between 1879 and 1881 beneath another coat of paint and carefully revealed.

Le valeur des peintures ornant les murs et les voûtes de cette église du 13e siècle, Ste. Marie Lys est connue bien au-delà des limites de Cologne. Découvertes entre 1879 et 1881 sous des repeints ultérieurs, elles furent soigneusement dégagées.

Die Drehbrücke am Rheinauhafen. Sie wurde 1907 gebaut und tut noch heute ihren Dienst – nachdem ihr Mechanismus 1987 einer gründlichen Überholung unterzogen worden ist. Sie steht als technisches Denkmal unter dem Schutz des Stadtkonservators.

The swing bridge at the Rheinauhafen port. It was built in 1907 and is still in service today – its mechanics were given a thorough overhaul in 1987. It is considered as a technical monument and is protected by the city conservationists.

Le pont tournant du port fluvial. Construit en 1907, il est toujours opérationnel, moyennant la révision complète qu'il a subie en 1987. Il constitue un site classé, témoin de l'architecture industrielle.

Die Severinsbrücke, eine asymmetrische Zügelgurtbrücke mit einem Pylon, wurde nach Plänen des Architekten G. Lohmer gebaut. Bei ihrer Einweihung regte Konrad Adenauer, der frühere Kölner Oberbürgermeister, an, den Auto-Verkehr unter die Erde zu bringen.

The Severinsbrücke, an asymmetrical tied cantilever bridge with a pylon, was built to the plans of the architect G. Lohmer. At its opening, the former Lord Mayor of Cologne, Konrad Adenauer, suggested that motor traffic be carried beneath the earth.

Le pont Séverin, un pont asymétrique haubanné à pylone unique, a été construit suivant les plans de l'architecte Lohmer. Lors de son inauguration, celui qui était à l'époque le maire de Cologne, Konrad Adenauer, suggéra qu'on mette la circulation automobile en sous-sol.

»Siebengebirge« nennt der Volksmund die Lagerhäuser im Rheinauhafen. Zwar gibt es hier mehr als sieben Giebel, aber auch im wirklichen Siebengebirge stehen ja mehr als sieben Berge. Die Stadt hat die 1909 vollendeten Häuser zu Wohn- und Museumsbauten bestimmt.

The people of Cologne call the storehouses at the Rheinauhafen port the "Siebengebirge" (Seven Hills). It is true that there are more than seven gables here, but even at the real Seven Hills there are more than seven peaks. The city has designated the houses, completed in 1909, as residential and museum buildings.

Les «Siebengebirge»: c'est le nom qu'on donne familièrement aux entrepôts du port. Il est bien vrai qu'il y a ici plus de sept collines, mais c'est également le cas pour les véritables «Siebengebirge». La ville a fait de ces bâtiments achevés en 1909, des ensembles d'habitation et des musées.

Der Rheinauhafen (im Hintergrund das Hafenamt mit der schönen Werksteinfassade) ist ein Ankerplatz für Yachten und Boote der Freizeit-Kapitäne. Frachtschiffe legen in Häfen außerhalb des Stadtzentrums an.

The Rheinauhafen port (in the background, the building of the port authorities with its attractive cut stone façade) is an anchoring spot for the yachts and boats of amateur captains. Freight vessels berth in ports outside the city centre.

Le port (on voit au fond l'Administration portuaire, avec ses belles façades en pierres de taille) est le lieu de mouillage des yachts et des bâteaux de plaisance. Les péniches, elles, vont s'amarrer à bonne distance du centre.

Die Kölner Südstadt, ein lebendiges Viertel, in dessen unzähligen Läden Waren aus aller Welt angeboten werden und in dessen zahllosen Kneipen das Leben pulsiert. Im Foto die Bonner Straße mit Blick auf das mittelalterliche Severinstor.

The Südstadt (Southern part of Cologne), a lively quarter whose numerous shops offer a selection of goods from all over the world and in whose numerous pubs life pulsates. The photograph shows the Bonner Strasse with a view of the Severinstor gate, dating back to the Middle Ages.

Le Sud de la ville, un quartier grouillant de vie où d'innombrables magasins proposent des denrées du monde entier et où des bistrots non moins nombreux entretiennent une joyeuse animation. Sur la photo, la Bonner Strasse, avec une échappée sur la moyenâgeuse porte Severin.

Alt und jung treffen sich in den gemütlichen Südstadtkneipen beim süffigen einheimischen Bier, dem Kölsch. Unten: die Kirche St. Severin. Im Vordergrund alte Fabrikbauten, die bei der Sanierung des alten Stadtviertels zu Wohnungen geworden sind.

Old and young alike meet up in the quaint pubs of the Southern part of town for a pleasant drink – the local beer, "Kölsch". Below: St. Severin church. In the foreground, former factory buildings, which were converted into apartments when the old city quarter was redeveloped.

Jeunes et vieux se retrouvent dans les bistrots du Sud de la ville; on s'y sent bien, autour de la moëlleuse bière du cru, la Kölsch. En bas, l'église St. Séverin. A l'avant-plan, d'anciennes fabriques reconverties en logements dans le cadre de la politique d'assainissement des vieux quartiers.

Aus dem Ende des 13. Jahrhunderts stammt das Chorgestühl in der Kirche St. Severin mit geschnitzten Figuren und Ornamenten. 62 Plätze standen der Stiftsgeistlichkeit zur Verfügung. Die alte Ausstattung harmoniert mit dem neuzeitlichen Schmuckfußboden.

The choir stall in St. Severin church with its carved figures and decorations dates back to the end of the 13th Century. The members of the chapter had 62 seats at their disposal. The old furnishings harmonize well with the modern ornate floor.

C'est à la fin du 13° siècle que furent construites les stalles de St. Séverin, avec leurs figures et ornements sculptés. Soixante deux places étaient à la disposition du clergé collégial. Le revètement de sol, moderne, en harmonie avec la décoration ancienne.

Elemente der Spätgotik prägen St. Severin. Links ein Blick in den ehemaligen Stiftschor. Rechts oben eine der Bildtafeln, auf denen die Geschichte Severins, des dritten bekannten Kölner Bischofs, dargestellt ist. Unten eines der neuen Fenster (Weigmann).

Late Gothic influences made their mark on St. Severin. Left, a view of the former chapter choir. Top right: one of the illustrations which depict the life of Severin, the third known Bishop of Cologne. Below, one of the new windows (Weigmann).

St. Séverin est marqué d'éléments de Gothique flamboyant. A gauche, vue sur le choeur collégial, d'époque. Au dessus, à droite, l'une des planches restraçant l'histoire de Séverin, le troisième évèque connu de Cologne. En bas, l'un des vitraux modernes (Weigmann).

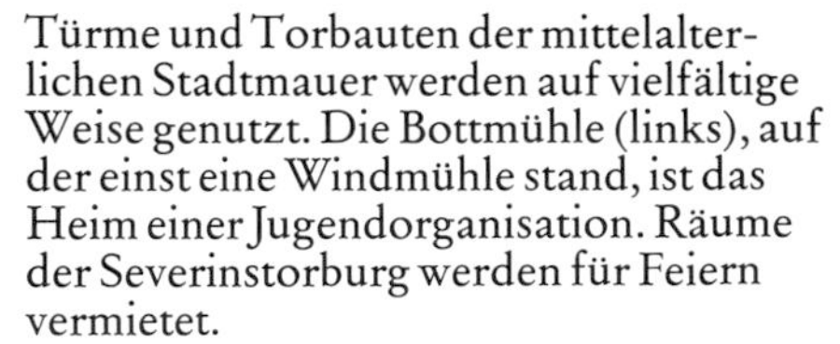

Türme und Torbauten der mittelalterlichen Stadtmauer werden auf vielfältige Weise genutzt. Die Bottmühle (links), auf der einst eine Windmühle stand, ist das Heim einer Jugendorganisation. Räume der Severinstorburg werden für Feiern vermietet.

The towers and gates of the mediaeval city wall are used for various purposes. The "Bottmühle" (left), on which a windmill once stood, is the home of a youth organization. Rooms of the Severinstorburg (castle gate) are let for celebrations.

Tours et portes du mur d'enceinte médiéval ont été mis à profit de multiples façons. A l'endroit où tournaient autrefois les ailes d'un moulin s'est installée une organisation de jeunesse, la Bottmühle. On peut louer des salles de la porte Séverin pour y organiser des fêtes.

Erker am Haus Balchem an der Severinstraße. Das 1676 errichtete Brauhaus »Zum goldenen Bären« wurde nach dem Krieg wiederaufgebaut.

Oriels on the Balchem building in Severinstrasse. The brewery "Zum goldenen Bären" (The Golden Bear) was built in 1676 and reconstructed after the war.

Encorbellement sur la maison Balchem, Severinstrasse. Fondée en 1676, la brasserie «A l'ours d'or» fut reconstruite aprés la guerre.

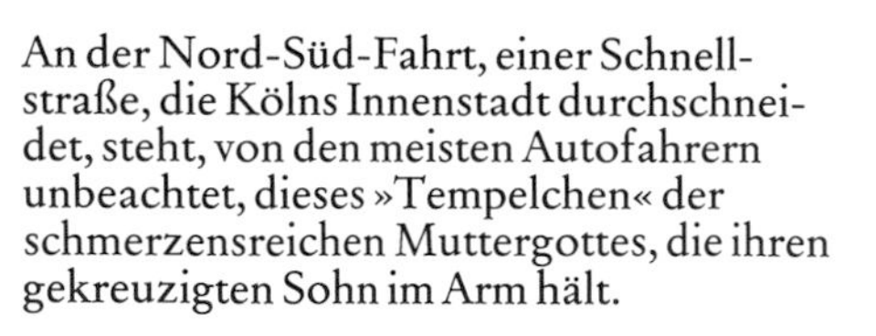

An der Nord-Süd-Fahrt, einer Schnellstraße, die Kölns Innenstadt durchschneidet, steht, von den meisten Autofahrern unbeachtet, dieses »Tempelchen« der schmerzensreichen Muttergottes, die ihren gekreuzigten Sohn im Arm hält.

The small temple of Our Lady of Sorrows cradling her crucified son stands on the Nord-Süd-Fahrt, a main road which runs through the city centre. Most motorists do not even notice it.

Sur le Nord-Süd-Fahrt, la voie rapide qui coupe en deux le centre de Cologne, un petit temple, ignoré de la plupart des automobilistes, est dédié à la Mère de Dieu. Accablée de douleur, elle tient dans ses bras son fils crucifié.

Wo einst die Kartäusermönche lebten, die sich 1334 in der Geburtsstadt ihres Gründers, des Erzbischofs Bruno, angesiedelt hatten, wird heute der evangelische Stadtkirchenverband verwaltet. Vor dem Barockgebäude ein Hofportal mit einer Madonnenfigur (um 1730).

The city Protestant church association has its administrative offices where the Carthusian monks who in 1334 settled in the birthplace of their founder, Archbishop Bruno, once lived. In front of the Baroque-style building, a court portal with a figure of the Madonna (dated around 1730).

Ici vivaient autrefois les Chartreux, établis en 1334 dans la ville natale du fondateur de leur ordre, l'archevèque Bruno. On y trouve maintenant l'administration de l'Union des églises réformées de la ville. Devant l'édifice baroque, un portail de cour sommé d'une figure de Madone (environ 1730).

Kölner Karnevalsgesellschaften haben Millionenbeträge investiert, um Türme der mittelalterlichen Stadtmauer zu restaurieren. In den wiederhergestellten Mauern liegen ihre Standquartiere und die Räume, in denen sich die Mitglieder regelmäßig treffen.

Cologne carnival societies have invested millions in the restoration of the towers of the mediaeval city wall. Their headquarters are housed within the rebuilt walls, along with the rooms where the members regularly meet.

Les sociétés carnavalesques de Cologne ont investi des millions dans la restauration des tours du mur d'enceinte médiéval. C'est dans ces murs remis en état qu'ils tiennent leurs quartiers; des locaux sont aménagés pour les membres, qu's'y réunissent régulièrement.

In der alten Stadtmauer die Reproduktion einer steinernen Bildtafel. Sie erzählt von einem Verräter, der Feinde nach Köln einließ.

The reproduction of a stone illustration in the old city wall. It portrays the story of a traitor who let enemies into Cologne.

Dans la vieille enceinte, reproduction d'un relief retraçant l'histoire d'un traître qui ouvrit à l'ennemi les portes de la ville.

Bürgerhäuser mit reich verzierten Fassaden, Erkern und Loggien in der Volksgartenstraße. Die Häuser aus der Gründerzeit, unmittelbar an der größten innerstädtischen Parkanlage gelegen, sind heute wie um die Jahrhundertwende als Wohnplatz beliebt.

Town houses with richly decorated façades, oriels and loggias in Volksgartenstrasse. The houses dating back to the 1871/73 expansion period are directly situated near the largest inner-city park and are still popular residences today.

Maisons bourgeoises aux façades richement décorées, avec encorbellements et loggias, dans la rue du Volksgarten. Aujourd'hui comme au tournant du siècle, les maisons des années de spéculation, adossées au plus vaste parking du coeur de la ville, sont des résidences convoitées.

Ein technisches Baudenkmal aus dem späten 19. Jahrhundert, der rote Backsteinbau des Wasser- und Elektrizitätswerks am Zugweg.
The red-brick water and electricity station in Zugweg street is a technical monument dating back to the late 19th Century.

Un monument technologique de la fin du 19e siècle: le bâtiment de briques rouges de la Société de gaz et d'électricité, sur le Zugweg.

Eine Kahnpartie auf dem Weiher des 1887 bis 1889 angelegten Volksgartens. Tausende suchen (und finden) hier bei gutem Wetter Erholung.

A rowing trip on the pond of the public gardens laid out between 1887 and 1889.

Thousands flock here when the weather is nice in search of recreation, and they find it.

Dans le Volksgarten, aménagé entre 1887 et 1889, partie de canotage sur l'étang. Par beau temps, ils sont des milliers à venir chercher ici la détente.

In der Kiche St. Pantaleon sind die byzantinische Kaiserin Theophanu, die 991 gestorbene Frau von Kaiser Otto II., und der Erzbischof Bruno begraben. Die Kirche demonstriert eindringlich den Bauwillen des ottonischen Herrscherhauses.

The Byzantine Empress Theophanu, who died in 991 and was the wife of Emperor Otto II, and Archbishop Bruno are buried in St. Pantaleon church. The church impressively demonstrates the building style favoured by the Ottonic dynasty.

C'est dans l'église St. Pantaléon que sont enterrés Théophanoú, impératrice de Byzance et épouse de l'empereur Othon II, morte en 991, ainsi que l'archevèque Bruno. L'église démontre à suffisance quelle lignée de bâtisseurs furent les Othon.

Kostbarkeiten in St. Pantaleon: das Gitterwerk des Lettners vor der Orgel, einer der schönsten in Köln. Der moderne Lettneraltar stammt von E. Hillebrand, der Fußboden von T. Theo Heiermann. Rechts der Sarkophag der Theophanu.

Treasures in St. Pantaleon: the lattice work of the screen in front of the organ, one of the finest in Cologne. The modern jube altar was created by E. Hillebrand and the floor by T. Theo Heiermann. Right, the sarcophagus of Theophanu.

Trésors de St. Pantaléon: le grillage du jubé des orgues, parmi les plus belles de Cologne. L' autel moderne quant à lui, est dû à E. Hillebrand et le plancher est de Théo Heiermann. A droite, le sarcophage de Théophanoú.

Die Synagoge an der Roonstraße, erbaut 1895 bis 1899 im neuromanischen Stil mit Werksteinfassade und reicher Bauskulptur. Nach dem Ende des Krieges und der nationalsozialistischen Diktatur wurde die Synagoge 1958 wieder aufgebaut (Architekt Goldschmidt).

The synagogue in Roonstrasse, built between 1895 and 1899 in the Neo-Romanesque style with ashlar façade and rich building sculpture. It was rebuilt in 1958 (architect: Goldschmidt) after the War and the National Socialist dictatorship.

La synagogue de la Roonstrasse, construite entre 1895 et 1899 en style néo-roman, avec sa façade en pierres de taille et ses riches sculptures. Après la guerre et la dictature nationale-socialiste, la synagogue fut reconstruite par l'architecte Goldschmidt, en 1958.

Blick von Süden über den Barbarossaplatz, vorbei an einem Büro- und Bankgebäude, auf die Herz-Jesu-Kirche am Zülpicher Platz, die um 1900 beim Bau der Neustadt entstanden ist. Der Turm wurde erst 1909 fertig.

Southern view of Barbarossaplatz square past an office and bank building to the Herz Jesu church on Zülpicher Platz square, which was built around 1900 along with the new city. The tower was not completed until 1909.

Vue du Sud, par dessus la Barbarossaplatz et devant un immeuble de banques et de bureaux, l'église du Coeur de Jésus se trouve sur la Zülpicher Platz. Erigée en 1900 lors de la construction de la ville nouvelle, sa tour ne fut achevée qu'en 1909.

Eine weitere Neustadt-Kirche, St. Michael am Brüsseler Platz. Neben den zahlreichen Wohngebäuden, die jenseits der Ringstraßen nach dem Schleifen der Stadtmauer gebaut wurden, entstanden um die Jahrhundertwende mehrere Kirchen im neuen Teil der Innenstadt.

Another church in the new part of the city, St. Michael on Brüsseler Platz square. Around the turn of the century, several churches were built in the new part of town, in addition to the numerous residential buildings erected beyond the ring road after the demolition of the city wall.

Autre église de la ville nouvelle: St. Michel, Brüsseler Platz. Outre les nombreuses maisons construites au delà du Ring, après le démantèlement du mur d'enceinte, plusieurs églises furent érigées au tournant du siècle dans la partie neuve du centre ville.

Schöne Bürgerhäuser wurden in der Neustadt gebaut, verziert mit Erkern, Türmchen, Säulen und Ornamenten. Hier zwei Beispiele: links ein Bild aus der Spichernstraße; das rechte Foto zeigt eine Kombination alter und neuer Fassaden am Hansaring.

Attractive town houses decorated with oriels, turrets, columns and ornaments were built in the new part of town. Two examples are shown: left, a picture of Spichernstrasse; right, a combination of old and new façades in the Hansaring road.

De belles maisons bourgeoises ont été construites dans la ville neuve, décorées d'encorbellements, de tourelles, de colonnes et d'ornements divers. Deux exemples: à gauche, une vue prise Spichernstrasse; à droite, on peut voir le mélange de façades anciennes et modernes sur le Hansaring.

Herbstliche Stimmung an einem Morgen im Stadtgarten. Im Hintergrund die evangelische Christuskirche an der Herwarthstraße, erbaut 1891 bis 1894. Ein Lokal am Rand der Grünanlage ist der Treffpunkt der Kölner Jazzfreunde.

Autumn atmosphere one morning in the Stadtgarten park. In the background, the Protestant Christus church in Herwarthstrasse, built between 1891 and 1894. A pub on the corner of the park is a meeting place for Cologne's jazz fans.

Matin d'automne dans le Stadtgarten, le jardin municipal. A l'arrière-plan, sur la Herwarthstrasse, une église protestante, la Christuskirche construite entre 1891 et 1894. En bordure de l'espace vert, un local accueille les amateurs de jazz.

Aus den Trümmerziegeln des alten Opernhauses wurde von 1957–1959 an der Gilbachstraße die Kirche Neu St. Alban gebaut (Architekt Schilling). Alte Ausstattungsstücke der Alban-Kirche am Gürzenich wurden ergänzt durch Neuschöpfungen Kölner Künstler.

The Neu St. Alban church (architect: Schilling) was built in Gilbachstrasse between 1957 and 1959 using the brick debris from the old opera house. Old furnishings from the Alban church at the Gürzenich were supplemented by new creations by Cologne artists.

Les briques récuperees dans les ruines de l'ancien Opéra ont été utilisées pour construire entre 1957 et 1959, Gilbachstrasse, l'église Neu St. Alban (architecte Schilling). Des éléments décoratifs venant de St. Alban au Gürzenich ont eté complétés par des créations nouvelles d'artistes colonais.

Bei seiner Vollendung 1925 war das Hochhaus am Hansaring mit seinen 17 Stockwerken das höchste Europas (Architekt Koerfer). Heute beherbergt es neben Büros und Verwaltungen ein Schallplatten- und Phonounternehmen, das sogar Kunden aus dem Ausland anlockt.

When it was completed in 1925, the high-rise building on Hansaring with its 17 floors was the highest in Europe (architect: Koerfer). Today it accommodates a record and photographic business with a world-wide clientele, as well as offices and administrative services.

Les 17 étages de la tour du Hansaring achevée en 1925 en faisaient la plus haute d'Europe (Architecte Koerfer). Actuellement, elle abrite, outre des bureaux et des administrations, une firme de disques et de matériel haute-fidélité qui attire même des clients étrangers.

Eines der drei erhalten gebliebenen zwölf Tore der mittelalterlichen Stadtmauer, das Eigelsteintor. Die Durchfahrt ist gesperrt, ein hübsch gestalteter Platz lädt zum Verweilen und zum Bummel ein. Hinter dem Tor liegt eine der urwüchsigen Altstadtstraßen.

One of the remaining three of the twelve gates of the mediaeval city wall, the Eigelsteintor. Closed to traffic, an attractively set out square is ideal for whiling away the time and for a stroll. One of the original old town streets is situated behind the gate.

L'une des trois portes conservées sur les douze de l'enceinte médiévale, la Eigelsteintor. Fermée à la circulation, une place joliment aménagée invite à la flânerie. Derrière la porte, l'une des plus anciennes rues de la Vieille Ville.

Plastik am Eigelsteintor, der kölsche Boor, im mittelalterlichen Quaternionensystem das der Stadt Köln zugeschriebene Symbol. Das Standbild erinnert auch daran, daß Bauern vor den Stadttoren ihr Feld bestellten.

A statue on the Eigelsteintor, the "Kölsche Boor", the symbol assigned to the city by the quaternion system of the Middle Ages. The statue is also a reminder of how farmers used to till their fields in front of the city gates.

Sculpture sur la Eigelsteintor: le Boor kölsch, le symbole attribué à la ville de Cologne dans le système médiéval des quaternions. La statue rappelle aussi que les paysans labouraient leur champ devant les portes de la ville.

Der Ebertplatz am nördlichen Ende der Ringstraße. Er liegt tiefer als die ihn begrenzenden Straßen, über die der Verkehr rollt. Bänke an einem modernen Brunnen laden zur Ruhe in der Hektik der Großstadt ein. Im Hintergrund das sechseckige Ringturmhaus.

Ebertplatz square at the Northern end of the ring road. It lies lower than the bordering streets teeming with traffic. Benches at a modern fountain offer a refuge from the hectic comings and goings in the city. In the background, the hexagonal Ringturmhaus.

La Ebertplatz, à l'extrémité Nord du Ring. Les rues adjacentes sont en surplomb et ouvertes à la circulation. Des bancs près d'une fontaine moderne engagent à oublier un peu l'agitation de la grande cité. A l'arrière-plan, la tour hexagonale du Ring.

Die Agneskirche an der Neusser Straße, nach einem großen Brand im Jahr 1980 wiederhergestellt. Der fromme Sohn eines Grundbesitzers, der um die Jahrhundertwende seine Felder als wertvolle Baugrundstücke verkaufen konnte, ist der Stifter der Agneskirche.

The Agnes church in Neusser Strasse, rebuilt after a major fire in 1980. The founder of the church was the pious son of a land owner who, at the turn of the century, was able to sell his fields as valuable building land.

L'église Ste. Agnès, Neusser Strasse, reconstruite en 1980 après un grand icendie. Son fondateur est le pieux rejeton d'un propriétaire foncier qui eut la bonne fortune, au tournant du siècle, de vendre ses champs comme terrains à bâtir.

Die Flora in Riehl. 1862 bis 1864 war sie nach dem Vorbild des Londoner Kristallpalastes gebaut worden, mit einer gläsernen Kuppel über der Halle. Das Dach wurde nicht wieder aufgebaut. Im Inneren blieb die alte Konstruktion mit eisernen Säulen erhalten.

The Flora in Riehl. It was built between 1862 and 1864 with a glass dome above the hall along the lines of the Crystal Palace in London. The roof was not reconstructed. On the interior, the old construction with the iron columns remained intact.

Le Jardin botanique de Riehl, le Flora. Aménagé de 1862 à 1864 sur le modèle du Cristal Palace de Londres, son hall était surmonté d'une verrière en dôme. Le toit n'a pas été reconstruit. A l'intérieur, la disposition ancienne avec ses colonnes métalliques a été maintenue.

Der 1860 eröffnete Kölner Zoo gehört zu den ältesten deutschen Tiergärten. Die Anlagen entsprechen heute den Prinzipien moderner Tierhaltung; alte Gebäude im Stil fremder Länder gebaut (im Bild das Vogelhaus als russische Kirche) blieben erhalten.

The Cologne zoo opened in 1860 is one of the oldest German zoos. The enclosures today reflect the standards of modern animal husbandry; old buildings in the style of foreign countries (picture, the aviary built like a Russian church) were preserved.

Ouvert en 1860, le Zoo de Cologne est l'un des plus anciens d'Allemagne. Aujourd'hui, les installations prennent en compte les plus récentes prescriptions en la matière. On a conservé les anciens bâtiments conçus dans des styles exotiques (sur la photo, la volière en forme d'église russe).

Mehr als 6500 Tiere von über 660 Arten leben im Kölner Zoo. Großzügige Freianlagen, wie hier für die Flamingos, ermöglichen ihnen eine artgerechte Existenz. Einst zeigte der Zoo wilde Tiere als Sensation; heute bemüht er sich um Arterhaltung.

Cologne zoo is home for more than 6500 animals of over 660 species. Generous open-air enclosures, such as this one for the flamingos, enable the animals to lead a natural existence. The zoo used to exhibit wild animals as a sensation; today it is devoted to preserving threatened species.

Plus de 6.500 animaux appartenant à plus de 660 espèces vivent au Zoo de Cologne. De vastes installations à ciel ouvert leur assurent une existence conforme à leurs besoins. Autrefois, le Zoo exhibait les bêtes comme des curiosités; actuellement, il se préoccupe de préserver les espèces.

Szenen aus dem Zoologischen Garten. Im mittleren Bild das Affenhaus (Architekt Meywald), das 1985, im Jahr des 125jährigen Bestehens der Anlage, vollendet wurde. Ein Förderverein hatte die Baukosten von etwa 6,5 Millionen Mark aus Spenden finanziert.

Scenes from the zoological gardens. The monkey house in the middle picture (architect: Meywald) was completed in 1985, the zoo's 125th anniversary year. The "Friends of Cologne Zoo" financed the building costs of approx. DM 6.5 million from donations.

Scène dans le Zoo. Au centre, le pavillon des singes (architecte Meywald), terminé en 1985, l'année du 125^{0} anniversaire de l'établissement. Une association d'aide a financé les frais de construction par des dons, à concurrence de 6,5 millions de DM.

Ein Justizpalast ist das 1907 bis 1911 für das Oberlandesgericht errichtete Gebäude am Reichenspergerplatz. Besonders imposant: das Foyer mit dem Treppenhaus. Heute wird in dem Gebäude nicht mehr Recht gesprochen, sondern nur noch verwaltet.

The Palace of Justice was built between 1907 and 1911 in Reichenspergerplatz square as the Higher Regional Court. Especially impressive: the foyer and staircase. Today, justice is no longer dealt with in this building, only administration.

Ce bâtiment érigé de 1907 à 1911 sur Reichenspergerplatz pour la Haute cour du Land est un Palais de Justice. Particulièrement imposante: la salle des pas perdus, avec ses volées d'escaliers. Aujourd'hui on n'y rend plus la justice, c'est un simple bâtiment administratif.

An einen Tempel erinnert die Fassade des Justizpalastes. Die Pläne stammen von dem Berliner Baumeister Thömer.

The façade of the Palace of Justice resembles a temple. The master builder Thömer of Berlin designed the building.

La façade du Palais de Justice évoque un temple. C'est l'architecte berlinois Thömer qui en a établi les plans.

Die Ursulinen bauten um 1670 ein Kloster an der Machabäerstraße. Es wurde später Mädchenpensionat und dann Konfessionsschule.

Around 1670, the Ursuline nuns built a convent in Machabäerstrasse. It later became a boarding school for girls and then a confessional school.

En 1670, les Ursulines construisirent un cloître dans la rue ‹Machabäerstrasse›. On en fit plus tard un pensionnat de jeunes filles, puis une école confessionnelle.

Außerhalb der römischen Stadtmauer baute um 640 Erzbischof Kunibert eine Kirche am nördlichen Rheinufer. Ihr folgte im 13. Jahrhundert ein Bau, der in alter Form wiederhergestellt wurde. Im Bild der Chor. An den Säulen Figuren der Verkündigungsgruppe (15. Jahrhundert).

Around 640, Archbishop Kunibert built a church on the Northern bank of the Rhine beyond the Roman city wall. There followed a construction in the 13th Century which was subsequently hardly altered (or restored to its original design). In the picture, the choir.

En 640, l'archevèque Cunibert construisit une église par delà la vieille enceinte romaine, sur la rive droite du Rhin. Lui succéda au 13e siècle un bâtiment qui ne fut plus guère modifié par la suite, sinon qu'on lui rendit son aspect ancien. Sur la photo, le chœur.

Die dreischiffige Pfeilerbasilika St. Kunibert ist die jüngste der romanischen Kirchen Kölns. Der Gesamtbau wurde 1247 geweiht, ein Jahr vor der Grundsteinlegung für den gotischen Dom. Im Zweiten Weltkrieg wurde St. Kunibert besonders schwer beschädigt.

The three-nave pier-type basilica of St. Kunibert is the most recent of the Romanesque churches in Cologne. The complete building was dedicated in 1247, a year before the foundations were laid for the Gothic Cathedral. St. Kunibert was particularly badly damaged during World War II.

St. Cunibert, basilique de basalte à triple nef, est la plus récente des églises romanes de Cologne. L'ensemble de la construction fut consacré en 1247, soit un an avant la pose de la première de la cathédrale. St. Cunibert a particulièrement souffert de la dernière guerre.

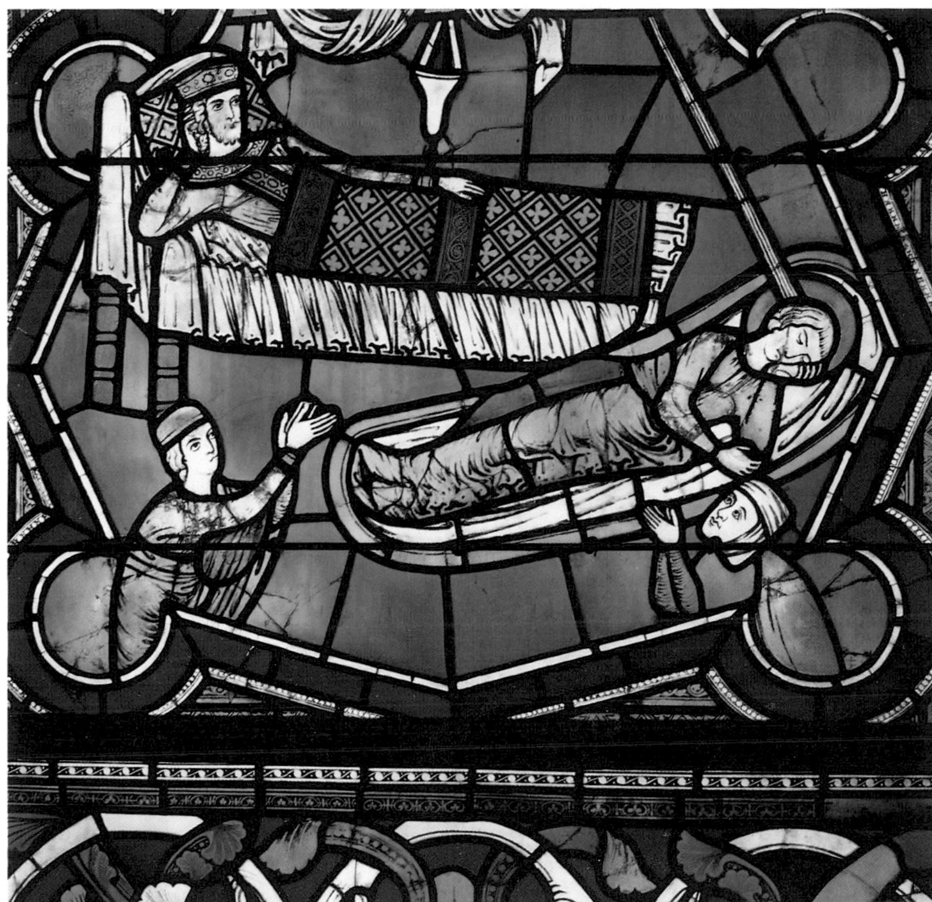

Wohl die größten Kostbarkeiten in St. Kunibert sind die romanischen Glasfenster in der Apsis (im Bild ein Ausschnitt). Sie wurden wahrscheinlich zur Chorweihe 1226 in die Kirche gebracht und gehören zu den wichtigsten Zeugnissen rheinischer Glasmalerei.

The Roman glass windows in the apsis are probably the greatest treasures in St. Kunibert (a section is shown in the picture). It is likely that they were brought into the church in 1226 for the choir inauguration. They are among the most important examples of Rhineland glass art.

Les éléments les plus précieux de St. Cunibert sont les vitraux romans de l'abside (détail). Sans doute mis en place pour la consécration du choeur en 1226, ils sont parmi les productions les plus importantes de la peinture sur verre en Rhénanie.

Herbstfarben an Bäumen und Sträuchern der Rheinpromenade, einem der beliebtesten Spazierwege der Kölner. Über dem Fußweg die Bastei, die Wilhelm Riphahn 1924 auf einem alten Befestigungsturm errichtete. Die Bastei ist eines der Kölner Luxusrestaurants.

Autumn colours on the trees and shrubs of the Rhine promenade, one of the most popular walkways in Cologne. The Bastei, built by Wilhelm Riphahn in 1924 on a former fortification tower, is situated above the path. It is one of Cologne's luxury restaurants.

Couleurs d'automne sur les arbres et les bosquets de la promenade qui longe le Rhin, l'une des balades préférées des Colonais; en contre-haut le Bastei, le Bastion, construit en 1924 par Wilhelm Riphahn sur les restes d'une tour de fortification. Le Bastei est l'un des restaurants de luxe.

Ausblick

Eine moderne Großstadt muß, wenn sie lebendig bleiben will, ebenso um die Verbesserung der Lebensqualität ihrer Bürger bemüht sein wie um die Bedürfnisse ihrer Wirtschaft. Neue Entwicklungen und Ansprüche fordern zur ständigen Veränderung heraus. Auch Köln verändert sich. U-Bahnbauten in der Innenstadt machen es möglich, einen wesentlichen Teil der Ringstraße zu einem Boulevard umzugestalten mit breiten Bürgersteigen, Grünanlagen, Wasserflächen und Ruhezonen. Das 200 000 Quadratmeter große Gelände des ehemaligen Güterbahnhofs Gereon soll »Media-Park« werden. Hier ist in zentraler Innenstadtlage Platz für die unterschiedlichsten Unternehmen der Kommunikationsbranche. Der Phantasie von Investoren sind keine Grenzen gesetzt.
Phantasie bewies auch das Unternehmen, das einen Gebäudekomplex in der Innenstadt erwarb, um hier eine weitere Ladenstadt, den nach einem historischen Hausnamen benannten »Olivandenhof« einzurichten. Das neue Einkaufszentrum schließt sich an die Fußgängerbereiche der City an. Ein Clou des Plans ist ein Glasdach über einem Teil der Zeppelinstraße. Zu erwähnen sind schließlich auch die 1300 Zimmer und Suiten in mehreren neuen Hotels der Luxusklasse. Zu den traditionsreichen oder seit Jahren ansässigen Spitzenhotels gesellen sich nun Häuser internationaler Ketten wie Hyatt, Ramada, Maritim und Holiday-Inn mit dem Crowne Plaza.
Investitionen in Milliardenhöhe, von denen hier nur einige aufgezählt werden konnten, beweisen Vertrauen in die Anziehungs- und die Wirtschaftskraft Kölns. Die Stadt hat Zukunft.

Die Zukunft hat begonnen. Die Stadt legte am Ring die Bahn unter die Erde und schaffte so Platz für eine Grünanlage (oben). Der Media-Park (unten) existiert erst im Entwurf.

The future has begun. On the ring road, the city authorities laid the trams underground, thus making room for gardens (top). The media park (bottom) is only at the drawing board stage.

Le futur est déjà là. Sur le Ring, la ville a mis les voies de tram sous terre, dégageant ainsi des espaces verts en surface (en haut). Le Media-Park (en bas) n'en est encore qu'à l'état de projet.

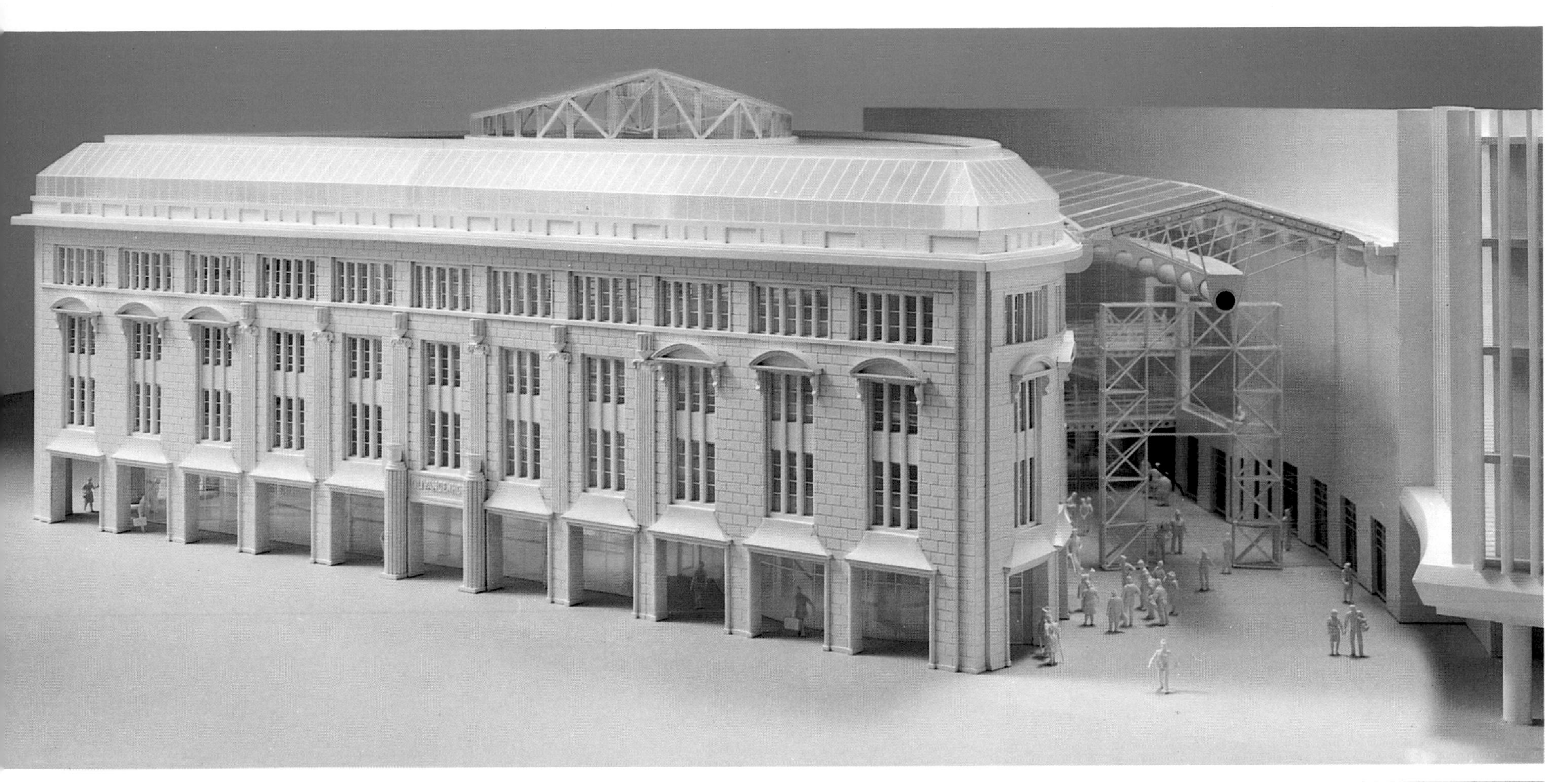

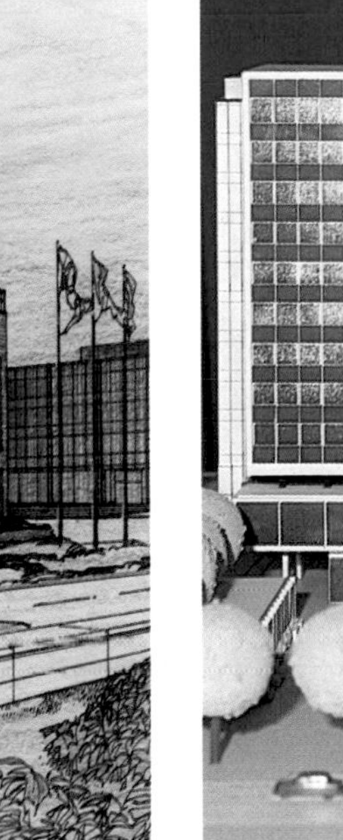

Hinter alter Fassade eine moderne Ladenstadt, der Olivandenhof (oben). Ein Glasdach überspannt die Zeppelinstraße.

Behind the old façade, a modern shopping area, the Olivandenhof (top). A glass roof spans Zeppelinstrasse.

Derrière une façade ancienne, une cité commerciale moderne, le Olivandenhof (en haut). Une verrière coiffe la Zeppelinstrasse.

Internationale Hotelkonzerne (links: Hyatt am rechten Rheinufer, rechts: Crowne Plaza am Ring) entdeckten die Attraktivität Kölns.

International hotel companies (left: Hyatt on the right river bank; right: Crowne Plaza on the ring road) discovered the attraction of Cologne.

Groupes hôteliers internationaux (à gauche, le Hyatt sur la rive droite; à droite, le Crowne Plaza sur le Ring). Ils témoignent de l'attraction exercée par Cologne.

Blick über die Deutzer Brücke ins rechtsrheinische Köln und ins Bergische Land. Am Ende der Brücke die Hauptverwaltung der Deutschen Lufthansa. Vorn der Turm der ehemaligen Pfarrkirche Klein St. Martin (1140).

View of the Deutz bridge over to the right river bank and the countryside of the Bergisches Land beyond. The main administration building of Lufthansa is situated at the end of the bridge. In the foreground, the tower of the former parish church Klein St. Martin (1140).

Par dessus le Deutzer Brücke, vue sur Cologne dans ce qu'elle a de plus rhénan, et sur le Bergisches Land. A l'extrémité du pont, l'administration centrale de la compagnie allemande d'aviation, la «Lufthansa». Devant, la tour de ce qui fut l'église paroissiale Klein St. Martin (1140).

Die Hohenzollernbrücke, 1987 um eine dritte Bogenkombination und Gleise für den S-Bahnverkehr erweitert. Vorn links der Rathausturm, rechts Groß St. Martin und auf der rechten Rheinseite der Messeturm.

The Hohenzollern bridge, extended in 1987 to include a third arch combination and tracks for the suburban rail traffic. In the left foreground, the tower of the town hall, to the right Gross St. Martin church and on the right bank of the Rhine, the tower of the exhibition centre.

Le pont Hohenzollern, élargi en 1987 pour établir un troisième agencement d'arches et de quais destinés aux trains rapides. Devant à gauche, la tour du Rathaus; à droite Gross St. Martin, et sur la rive droite, la Messeturm, la tour de la Foire de Cologne.

Auf vielen Gebieten, etwa bei Nahrungs- und Genußmitteln, Möbeln und vor allem der photokina nimmt die »KölnMesse« weltweit Spitzenpositionen ein. Den noch unter Konrad Adenauer gebauten Rheinhallen (links mit dem 85 Meter hohen Turm) folgten zahlreiche Erweiterungsbauten.

Cologne has a good reputation throughout the world as a trade fair city. In some spheres (food and delicacies, photokina, furniture) "KölnMesse" is the best. The Rhine halls built in Konrad Adenauer's time (left with the 85 metre high tower) were followed by numerous extensions.

Cologne est réputés dans le monde entier pour être la ville des Foires. Dans certains domaines, comme ceux de l'alimentation, du meuble, de la photo, elle occupe une position de tête. De nombreux bâtiments adventices ont succédé aux Rheinhallen bâties sous Konrad Adenauer (à droite, avec leur tour de 85 mètres).

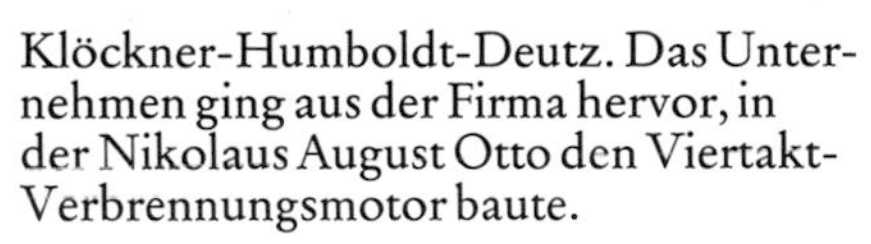

Klöckner-Humboldt-Deutz. Das Unternehmen ging aus der Firma hervor, in der Nikolaus August Otto den Viertakt-Verbrennungsmotor baute.

Klöckner-Humboldt-Deutz. The business grew from the company where Nikolaus August Otto built the four-stroke combustion engine.

Klöckner-Humboldt-Deutz. L'entreprise est issue de la firme dans laquelle Nikolaus August Otto élabora le moteur à explosion à quatre temps.

Der Rheinpark am Deutzer Ufer. Hier fanden zwei Bundesgartenschauen statt. In diesem Park liegt der Tanzbrunnen (unten), an dem im Sommer Freiluftkonzerte stattfinden.

The Rheinpark on the Deutz side of the river, the venue for two Federal Garden Shows. This park has the "Tanzbrunnen" (fountain with dance floor, bottom), where open-air concerts are held in the summer.

Le Rheinpark, sur la rive de Deutz, où ont été organisées deux Floralies fédérales. C'est dans ce parc que se trouve la Fontaine de la Danse (en bas) où ont lieu en été des concerts en plein air.

Viele Kilometer Promenadenwege führen am Rhein vorbei. Am rechten Ufer Alt St. Heribert, eine 1002 gegründete Benediktinerabtei.

Many kilometres of walks run along the Rhine. On the right bank, Alt St. Heribert, a Benedictine abbey founded in 1002.

Des kilomètres de chemins de promenade longent le Rhin. Sur la rive droite, Alt St. Heribert, une abbaye bénédictine fondée en l'an 1002.

St. Maternus in Rodenkirchen. Die Legende sagt, Maternus, der erste Bischof von Köln, sei hier in einem Boot angetrieben worden.

St. Maternus in Rodenkirchen. According to the legend, the first bishop of Cologne, Maternus, landed here in a boat.

St. Marternus à Rodenkirchen. Si l'on en croit la légende, c'est ici que le premier archevèque de Cologne, Maternus, aurait accosté.

Am »Treppchen«, einem Ausflugslokal in Rodenkirchen, sitzen Gäste oft dicht gedrängt auf den Stufen. Rechts: Die alte Landstraße nach Brühl.

At the "Treppchen", a riverside pub in Rodenkirchen, the guests often sit packed tightly on the steps. Right: the Brühler Landstrasse road.

Au «Treppchen», un lieu de sortie à Rodenkirchen, les clients sont souvent serrés sur les marches comme des sardines dans leur boite. A droite, la route fédérale de Brühl.

Die Marienburg, einst Hotel, heute großbürgerliche Villa. Sie gab dem noblen Stadtteil den Namen. Unten: Fort und Denkmal im Hindenburgpark, auch Friedenspark genannt.

Marienburg palace, once a hotel, today an upper-class villa. It gave this noble quarter of the city its name. Below, fort and memorial in Hindenburgpark, also called "Friedenspark" ("Peace Park").

Le Marienburg, autrefois un hôtel est devenu une villa patricienne. C'est elle qui a donné son nom à ce quartier élégant de la ville. En bas, fortin et monument dans le parc Hindenbourg, appelé aussi parc de la Paix.

Bis zu 137 Meter hoch sind die Bauten der Rundfunkanstalten Deutschlandfunk und Deutsche Welle. Rechts: das »Haus des Bundesverbandes der Deutschen Industrie« und das »Haus des Bundesverbandes Deutscher Arbeitgeber« am Oberländer Ufer in Bayenthal.

Buildings of the radio stations "Deutschlandfunk" and "Deutsche Welle" which tower up to 137 metres. Right, the "Haus des Bundesverbandes der Deutschen Industrie" (House of German Industry) on the Oberländer Ufer river bank in Bayenthal.

Les immeubles des stations de radio Deutschlandfunk et Deutsche Welle, dont les tours s'élèvent à 137 mètres. A droite, la Maison de l'industrie allemande sur le Oberländer Ufer à Bayenthal.

Ein Park in Sülz, im 17. und 18. Jahrhundert Sommerresidenz der Äbte von St. Pantaleon, ist heute von Wohnbebauung umgeben. Das »Weißhaus« ist in Privatbesitz. Rechts: Gründerzeitfassaden an der Luxemburger Straße vor der Hochhauskulisse des Uni-Centers.

A park in the Sülz district; in the 17th and 18th Centuries the summer residence of the Abbots of St. Pantaleon, it is today surrounded by residential buildings. The "Weisshaus" (White House) is in private hands. Right: façades in Luxemburger Strasse in front of a high-rise background date back to the 1871/73 expansion period.

Un parc à Sülz. Aux 17^{0} et 18^{0} siècles résidence d'été des prieurs de St. Pantaléon, il est actuellement cerné de zones résidentielles. La Maison Blanche est une propriété privée. A droite, Luxemburger Strasse, des façades des années de spéculation, sur fond de buildings.

Oben: Die Hochhäuser der Kölner Justiz an der Luxemburger Straße. Unten: Studenten der 1388 gegründeten Kölner Universität vor der Plastik des Albertus Magnus (von G. Marcks).

Top: the high-rise blocks of the Cologne courts in Luxemburger Strasse. Below, students of Cologne University, founded in 1388, in front of the statue of Albertus Magnus (by G. Marcks).

En haut, les buildings de l'Administration judiciaire, Luxemburger Strasse. En bas, devant la statue d'Albert le Grand (due à G. Marcks), des étudiants de l'Université de Cologne, fondée en 1388.

Einen modernen Bau für das älteste Ostasiatische Museum Europas errichtete der japanische Architekt Kunio Mayakawa in den siebziger Jahren im Grüngürtel am Aachener Weiher. Unten: die moderne Pfarrkirche Christi Auferstehung (Gottfried Böhm) in Lindenthal.

In the Seventies, the Japanese architect Kunio Mayakawa designed a modern building for the oldest East Asian museum in Europe in the green belt area near the Aachener Weiher pond. Below: the modern parish church of the Resurrection in Lindenthal (Gottfried Böhm).

C'est un bâtiment moderne qui abrite le plus ancien musée d'Extrême-Orient qu'on ait en Europe. Conçu dans les années 70 par l'architecte japonais Kunio Mayakawa, il est situé sur la Grüngürtel, la Ceinture verte, Aachener Weiher. En bas, l'église paroissiale moderne de la Résurrection du Christ (G. Böhm) à Lindenthal.

Der Stadtplaner Fritz Schumacher und der Gartenarchitekt Fritz Encke schufen in den zwanziger Jahren eine Grünanlage mit Kanal und Wasserbecken in Lindenthal. Oben: Japanische Plastik in der auf Trümmerschutt angelegten Grünfläche am Aachener Weiher.

In the Twenties, the city planner Fritz Schumacher and the garden architect Fritz Encke created a park with canal and ponds in Lindenthal. Above: Japanese statue in the park built on debris at the Aachener Weiher pond.

C'est dans les années vingt que l'urbaniste Fritz Schumacher et l'architecte de jardins Fritz Encke créèrent à Lindenthal une oasis de verdure avec canal et bassins. En haut, près de l'Aachener Weiher, une sculpture installée dans un espace vert aménagé sur les ruines.

Romanische Kirchen liegen in Köln auch außerhalb der mittelalterlichen Stadtmauern, zum Beispiel das »Krieler Dömchen« im alten Stadtteil Kriel, der in Köln-Lindenthal liegt. Die Landkirche, die zum Gereonsstift gehörte, wurde 1224 erstmals erwähnt.

Romanesque churches are also to be found in Cologne outside the city walls; for example, the "Krieler Dömchen" in the old quarter of Kriel, now part of Cologne-Lindenthal. This rural church, which belonged to the chapter of St. Gereon, was first mentioned in 1224.

Il existe également à Cologne des églises romanes au-delà du mur d'enceinte médiéval; par exemple, «la petite cathédrale de Kriel», située dans le vieux quartier de Kriel, à Lindenthal. Cette église rurale dépendant du chapitre de St. Géréon est mentionnée pour la première fois en 1224.

Eine römische Grabkammer wurde 1843 bei Ausgrabungen an der Aachener Straße in Weiden entdeckt, eine der besterhaltenen in den gallisch-germanischen Provinzen. Unten: der 1810 eröffnete Friedhof Melaten mit geschützten Grabdenkmälern.

A Roman burial chamber was discovered in 1843 during excavations in Aachener Strasse in Weiden. It is one of the best preserved in the Gallic-Germanic provinces. Below: the Melaten cemetery, opened in 1810, with protected grave memorials.

Une chambre funéraire romaine fut mise au jour en 1843 lors de fouilles menées dans la Aachener Strasse à Weiden; c'est l'une des mieux conservées des provinces gallo-romaines. En bas, le cimetière Mélaten (1810), avec ses monuments funéraires classés.

Einige schöne, alte Hofgüter sind in den Vororten Kölns erhalten; in manchen wird noch Landwirtschaft betrieben, andere werden als Reiterhöfe oder Wohngebäude genutzt. Im Bild der zum Teil von einem Wassergraben umgebene Stüttgenhof in Junkersdorf (1868).

Some attractive former farms are to be found in the suburbs of Cologne; some are still used for agricultural purposes, others are used as riding stables or residential buildings. In the picture, the Stüttgenhof farm in Junkersdorf (1868) partially surrounded by a moat.

Les faubourgs de Cologne recèlent quelques belles propriétés anciennes; dans certaines se pratique encore l'agriculture, d'autres sont utilisées comme relais pour les cavaliers ou maisons d'habitation. Sur la photo, le Stüttgenhof (1868) à Junkersdorf, partiellement ceinturé de douves.

Moderne Gewerbebauten außerhalb des Zentrums. Oben der »Alu-Achtzylinder«-Verwaltungsbau von Toyota in Marsdorf (1977 bis 1979 von einem japanischen Architektenteam gebaut). Unten das Verwaltungsgebäude der Rheinischen Braunkohle an der Dürener Straße.

Modern business premises outside the city centre. Above, the "Alu-Achtzylinder" administration building of Toyota in Marsdorf (built between 1977 and 1979 by a Japanese team of architects). Below, the administration building of the Rheinische Braunkohle company in Dürener Strasse.

Bâtiments industriels modernes à la périphérie. En haut, les bureaux de Toyota à Marsdorf, le «Huit Cylindres-Alu» construit entre 1977 et 1979 par un bureau d'architectes japonais. En bas, Dürener Strasse, les bâtiments administratifs du Lignite rhénan.

Das Verwaltungsgebäude der Gas-, Elektrizitäts- und Wasserwerke (GEW) liegt in einer Grünanlage am Parkgürtel. Die Architekten (Kraemer, Sieverts und Partner) wählten eine Wabenstruktur, um Großraumbüros optimal unterbringen zu können.

The administration building of the gas, electricity and water works (GEW) is set in green surroundings in the park belt. The architects (Kraemer, Sieverts and Partners) chose a honeycomb structure, in order to accommodate open-plan offices optimally.

Les bureaux des usines de gaz, d'électricité et d'eau sont installés dans un espace vert du Parkgürtel. Les architectes (Kraemer, Sieverts & Partner) ont choisi une structure en nid d'abeille pour disposer au mieux les bâtiments.

Der Fernmeldeturm, von den Kölner liebevoll »Colonius« genannt, ist mit 243 Metern das höchste Bauwerk der Stadt. Dem Dom hat er deshalb den Rang nicht ablaufen können. Aussichtsterrasse und Panoramarestaurant ermöglichen reizvolle Ausblicke.

At 243 metres, the telecommunications tower, affectionally referred to as "Colonius" by the people of Cologne, is the highest construction in the city, although the Cathedral is still more popular. There are marvellous views from the terrace and the panorama restaurant.

La tour de télécommunication, «Colonius» comme disent les Colonais. Avec ses 243 mètres, elle est le plus haut édifice de Cologne, sans pourtant l'emporter sur le Dom. Son restaurant panoramique et ses terrasse offrent des points de vue imprenables.

Seit 1897 gibt es die Pferderennbahn in Weidenpesch. Einige Gebäude, zum Beispiel die Zuschauertribüne (Seite 181 oben links), gelten als Baudenkmäler.

The race track in Weidenpesch has existed since 1897. Some of the buildings, for example, the spectators stand (see page 181, top left), are considered as building monuments.

Le champ de courses de Weidenpesch existe depuis 1897. Certains de ses bâtiments, la tribune du public par exemple, (page 181 en haut à gauche) sont monuments classés.

Im Grüngürtel liegt Kölns größtes Sportzentrum. Im Mittelpunkt das Müngersdorfer Stadion mit 65 000 überdachten Plätzen für Fußball- und Leichtatlethikwettkämpfe (unten). Das Eisstadion (oben rechts) zieht Schlittschuhläufer ebenso an wie Eishockeyfans.

Cologne's biggest sports stadium is situated in the green belt area. In the centre, the Müngersdorfer stadium with 65,000 covered seats for football and athletics (bottom). The ice stadium (top right) attracts ice skaters as well as ice hockey fans.

C'est sur la Grüngürtel que se situe le plus grand centre sportif de Cologne. Au centre, le stade de Müngersdorf, pour les compétitions de football et d'athlétisme (en bas). La patinoire (en haut à droite) attire les patineurs, bien sûr, mais aussi les fanatiques du hockey sur glace.

Nippes ist ein alter Stadtteil, dessen Charme viele junge Leute erliegen. Der vergoldete Kohlkopf (kölsch: Kappes) ist das Zeichen des historischen Wirtshauses »Em golde Kappes«, wo obergäriges Bier, wie in allen zünftigen kölschen Kneipen, vom Faß gezapft wird.

Nippes is an old part of the city whose charms have captivated many young people. The gilded cabbage (in "Kölsch" – the local dialect: "Kappes") is the sign used by the historic tavern known as "Em golde Kappes" where top-fermented beer is tapped straight from the barrel.

Nippes – le charme de ce vieux quartier a ses attraits, surtout pour les jeunes. La tête e chou dorée (chou = Kohl = Kappes en patois) est devenue l'enseigne du restaurant historique «Em golde Kappes»; la «Kölsch», la bière locale à fermentation haute, y est tirée du fût.

EM GOLDE KAPPES
U

Die katholische Pfarrkirche Alt St. Katharina in Niehl. Die Kirche gehörte, einer Urkunde von 1236 zufolge, zum Kölner Stift St. Kunibert. Eine Kostbarkeit in dieser sonst eher bescheidenen Landkirche ist die Kanzel aus dem Jahr 1622.

The Catholic Alt St. Katharina parish church in Niehl. According to a document dated 1236, the church used to belong to the Cologne chapter of St. Kunibert. A valuable possession of this otherwise quite modest rural church is the pulpit dating back to 1622.

L'église paroissiale Ste. Catherine l'Ancienne, à Niehl. Aux termes d'un acte daté de 1236, l'église relève du chapitre de St. Cunibert. Une rareté dans cette église campagnarde par ailleurs plutôt modeste: la chaire de vérité, qui remonte à 1622.

Auch Köln baute in den sechziger und siebziger Jahren Hochhaussiedlungen am Stadtrand. Im Bild oben: die »Neue Stadt« Chorweiler. Unten: der Industriehafen im Kölner Norden mit den Fordwerken, Kölns größtem gewerblichen Arbeitgeber.

In the Sixties and Seventies, Cologne too built high-rise housing estates on the outskirts of the city. Top picture: the "new city" of Chorweiler. Below, the industrial port in the North of Cologne with the Ford works, Cologne's biggest industrial employer.

Cologne elle-aussi, dans les années soixante et soixante-dix, a bâti des cités à la périphérie de la ville. Photo du haut: la «ville nouvelle» de Chorweiler. En bas, le port industriel de Cologne Nord, avec les usines Ford, le plus important pourvoyeur d'emplois de Cologne.

Schloß Arff in Roggendorf-Thenhoven im Norden Kölns ist eines der prächtigsten rheinischen Hofgüter; mit Vorburg und historischem Park eher ein vornehmer Landsitz. Das von einem Uhrenturm gekrönte Gebäude wurde zwischen 1750 und 1755 errichtet.

Arff castle in Roggendorf-Thenhoven in the North of Cologne is one of the most magnificent Rhineland manors; with its gatehouse and historical park, it resembles more a prosperous country residence. The building was constructed between 1750 and 1755.

Au Nord de la ville, le château Arff de Roggendorf-Thenhoven, l'une des plus prestigieuses résidences de Rhénanie; avec son castel et son parc historique, il apparaît plutôt comme une élégante propriété de campagne. Le bâtiment, surmonté d'une tour à horloge, a été édifié entre 1750 et 1755.

Die katholische Pfarrkirche St. Martin in Esch (Baubeginn im elften Jahrhundert) ist noch von einem ummauerten Friedhof umgeben. Über dem Torbogen des Eingangs befindet sich eine Kreuzigungsgruppe aus dem 16. Jahrhundert.

The Catholic St. Martin parish church in Esch (started in the 11th Century) is still surrounded by a walled-in cemetery. Above the entrance archway is a Crucifixion group dating back to the 16th century.

L'église paroissiale St. Martin de Esch, commencée au 11° siècle, est encore entourée de son cimetière non muré; sur l'arche du portail, une Crucifixion du 16° siècle.

Hoch über den Rheinwiesen liegt im nördlichen Vorort Merkenich die Pfarrkirche St. Amandus. Sie gehörte zu der Abtei St. Amand in Flandern. 1156 wurde das Kölner Stift St. Gereon Grundherr. Die Kirche erhielt bei der Restaurierung ihre ursprünglichen Farben.

The St. Amandus parish church is situated high above the Rhine meadows in the Northern suburb of Merkenich. It was once owned by the St. Amand abbey in Flanders. In 1156, the chapter of St. Gereon in Cologne became the Lord of the Manor. When it was restored, the church retained its original colours.

Dans la banlieue Nord de Cologne, bien au-delà des rives herbeuses du Rhin, l'église paroissiale St. Amand. Elle dépendait de l'Abbaye flamande de St. Amand; en 1156, elle passa sous l'autorité du chapitre colonais de St. Géréon. Sa restauration lui a rendu ses couleurs d'origine.

Schloß Röttgen, der Name hat im Pferdesport guten Klang. Aus dem Gestüt sind zahlreiche Sieger von Galopprennen hervorgegangen. Das riesige Park- und Waldgelände ist von einer Mauer umgeben, im Volksmund »Chinesische Mauer« genannt. Im Bild das Herrenhaus.

The name Schloss Röttgen has a good reputation in horse-racing circles. Its stables have produced numerous gallop winners. The huge park and woodlands are surrounded by a wall, nicknamed the "Great Wall of China" by the people of Cologne. In the picture, the manor house.

Le château de Röttgen, un nom familier aux amateurs de sports équestres: de nombreux vainqueurs de courses au galop sont sortis de son haras. L'immense domaine de parcs et de forêts est entouré d'un mur, «la grande muraille de Chine», comme on dit. Photo, la résidence des maîtres du lieu.

Als »drive in-Flughafen« wurde der Köln-Bonner Airport konzipiert. Reisende und Besucher können direkt an den Abfertigungsgebäuden vorfahren. Die Flugsteige sind sternförmig angelegt, das beschleunigt die Abfertigung der Passagiere.

Cologne-Bonn airport was conceived as a "drive-in airport". Travellers and visitors can drive directly up to the terminal buildings. The flight gates are arranged in a star shape, in order to speed up passenger clearance.

L'aéroport de Cologne-Bonn a été conçu selon la formule «drive-in». Voyageurs et visiteurs peuvent aller en voiture jusqu'aux bureaux des douanes. Les accès disposés en étoile accélèrent les opérations de dédouanement.

Die Groov in Porz. Auf dieser »Freizeit-Halbinsel« gibt es Sportanlagen und Terrassenrestaurants. Dahinter liegen restaurierte alte Häuser und Kirchen. Rechts im Bild die neugotische Kirche St. Mariä Geburt, links der Turm von St. Michael.

The "Groov" in Porz. There are sports grounds and terrace restaurants on this "leisure peninsular". Behind them, renovated old houses and churches. To the right of the picture, the Neo-Gothic St. Mariä Geburt church; left: the tower of St. Michael.

Le Groov à Porz. Sur cette presqu'île des loisirs sont regroupés installations sportives et restaurants à terrasse. Derrière, demeures anciennes et églises restaurées. A droite sur la photo, l'église néo-gothique Ste. Marie, à gauche la tour de St. Michel.

Ein Denkmal für die Poller Milchmädchen, die früher die Stadt belieferten (oben). Unten: Schloß Wahn, heute Sitz des Theatermuseums.

A memorial to the milkmaids of Poll, who once delivered milk to the city (top). Below: Wahn castle, which today houses the theatre museum.

Un monument aux laitières de Poll qui, par le passé, approvisionnaient Cologne (en haut). Le château de Wahn, qui abrite les collections du Musée du Théâtre.

Das Gebäude des Technischen Überwachungsvereins (TÜV) Rheinland in Poll. Das Hochhaus wurde im Jahr 1975 errichtet.

The building of the Rhineland Technical Control Board (TÜV) in Poll. This highrise building was constructed in 1975.

Le Service de Contrôle technique automobile de Rhénanie (TÜV), à Poll. Ce bâtiment fut érigé en 1975.

Die Chemische Fabrik Kalk lag einst am Rand der Stadt. Heute ist das um 1885 entstandene Werk umgeben von Wohnbebauung. Viele der alten Fabrikanlagen sind inzwischen in die Denkmalverzeichnisse der Konservatoren aufgenommen worden.

The Kalk chemical factory was once situated on the edge of the city. Today, this plant, which was established in 1885, is surrounded by residential buildings. Many of the old factory blocks have since been registered in the monument lists of the conservationists.

L'usine chimique de Kalk (1885) se situait autrefois en bordure de la ville; aujourd'hui elle est entourée de complexes d'habitation. De nombreuses installations industrielles sont reprises au catalogue des sites classés.

Auch dies ist ein traditionsreiches Kölner Unternehmen, eine Kölsch-Brauerei. Sie steht seit der Jahrhundertwende im Stadtteil Kalk.

Another business steeped in tradition, a Cologne brewery. It has been in the district of Kalk since the turn of the century.

Cette firme elle aussi fait partie de la tradition colonaise: on y brasse la Kölsch. Depuis le tournant du siècle, elle est implantée dans cette partie de la ville appelée Kalk.

Die Bahn ging in den Tunnel, die Hauptstraße in Kalk wurde ruhiger. Unten: Dampfmaschine der »Chemischen« als Industriedenkmal.

The trams went underground, the main street in Kalk became more peaceful. Below: steam engine of the chemical company, an industrial memorial.

Les voies de tram empruntant un tunnel, la rue principale de Kalk a retrouvé son calme. En bas, machine à vapeur de «La Chimique»: un souvenir du passé industriel.

»De ahle Kohberg« im rechtsrheinischen Vorort Merheim. In dem Haus von 1165 befindet sich eine rustikale Gastwirtschaft, ein beliebtes Ausflugsziel. Ihr Name »Der alte Kuhberg« erinnert an die landwirtschaftliche Vergangenheit Merheims.

"De ahle Kohberg" in the Merheim suburb on the right bank of the Rhine. A rustic inn is situated in this house built in 1165, a popular place to visit. Its name "The old Cow Hill" is a reminder of the agricultural past of Merheim.

«De ahle Kohberg», dans une banlieue typiquement rhénane, Merheim. La maison, qui date de 1165, abrite une auberge qui reste un but de promenade apprécié. Son nom, «Le mont aux vaches», renvoie au passé agricole de Merheim.

Der Thurner Hof im rechtsrheinischen Dellbrück, eine geschlossene Hofanlage aus dem 16./17. Jahrhundert. Bemerkenswert das ungewöhnlich große Fachwerk-Wohnhaus. Das gut erhaltene Gebäude wurde in der zweiten Hälfte des 16. Jahrhunderts errichtet.

Thurner Hof farm in Dellbrück on the right bank of the Rhine, a self-contained farm dating back to the 16th/17th Century. The unusually large half-timbered house is worth a visit. This well maintained building was built in the second half of the 16th Century.

Le Thurner Hof à Dellbrück, sur la rive droite du Rhin; c'est une cour à disposition fermée des 16°/17° siècles. On y voit un insolite corps de logis à colombages. Bien conservé, le bâtiment fut érigé dans la seconde moitié du 16° siècle.

Eine Telegraphenstation der Strecke Berlin–Koblenz. Der Telegraphist in Stammheim (oben) beobachtete die Signalarme der benachbarten Station und gab die Zeichen weiter. Unten: Die Isenburg, eine restaurierte Wasserburg in Holweide (Architekt Wasser).

A telegraph station on the Berlin-Koblenz route. The telegraph operator in Stammheim (top) observed the signal arms from neighbouring houses and passed them on. Below: Isenburg, a renovated moated castle in Holweide (architect: Wasser).

Une station de télégraphe de la section Berlin-Coblence. Le préposé observait les mouvements du sémaphore de la maison voisine et répercutait les signaux. En bas, le Isenburg à Holweide, un château entouré de douves, restauré par l'architecte Wasser.

Eine der ersten Kölner Siedlungen für Beschäftigte der Industrie, und zwar für »Direktoren und Arbeiter«, entstand um 1820 an der Grenze zum Bergischen Land, in Dünnwald. Die Siedlung »Kunstfeld« wird von ihren Bewohnern bis heute geliebt.

One of the first settlements in Cologne for industrial employees, in fact for "directors and workers", arose around 1820 in Dünnwald on the border of the Bergisches Land countryside. The "Kunstfeld" settlement is still loved by its residents.

L'une des premières cités ouvrières à Cologne. Destinée aux travailleurs de l'industrie, elle vit le jour en 1820 à la limite du Bergisches Land à Dünnwald. La cité «Kunstfeld» est encore toujours appréciée par ses occupants.

Die Kirche St. Nikolaus in Dünnwald (oben) aus dem 12. Jahrhundert wurde mehrmals umgebaut, zuletzt 1875. Unten: Die Weiße Stadt in Buchforst, ein gutes Beispiel für gemeinnützigen Wohnungsbau in den späten zwanziger Jahren (Architekten Riphahn/Grod).

The St. Nikolaus church in Dünnwald (top), dating back to the 12th Century, has been rebuilt on several occasions, most recently in 1875. Below, the "White City" in Buchforst, a good example of public housing of the late Twenties (architects: Riphahn/Grod).

En haut, l'église St. Nicolas de Dünnwald, datant du 12e siècle, fut reconstruite à maintes reprises et pour la dernière fois en 1875. En bas, la «ville blanche» à Buchforst, un bon exemple de ce que pouvait être la construction de logements d'utilité publique à la fin des années vingt.

Drehscheibe des Verkehrs ist der Wiener Platz in Mülheim mit Zu- und Abfahrten der Mülheimer Brücke. Seit langem gibt es Pläne, Verkehrswege unter die Erde zu verlegen, den Wiener Platz zu beruhigen und ihn für Fußgänger attraktiv zu machen.

Wiener Platz square in Mülheim, with the comings and goings on the Mülheim bridge, is a major traffic junction. For a long time now, plans have existed to lay the traffic routes underground in order to slow down the pace of the Wiener Platz and make it more attractive for pedestrians.

Avec les accès au Mülheimer Brücke, la Wiener Platz constitue la plaque tournante de la circulation à Mülheim. Depuis pas mal de temps existent des plans pour reléguer la circulation en sous-sol et rendre ainsi son calme à la Wiener Platz qui retrouverait ses piétons.

Mülheim, bis 1914 selbständig, ist geprägt von Industrie. Doch sind hier Schätze verborgen, etwa das Haus von 1762 an der Mülheimer Freiheit, die mittelalterliche Kirche St. Clemens am Rhein oder der Stadtbrunnen an der früheren Endstation der Pferdebahn.

Mülheim, independent until 1914, is predominantly industrial. However, treasures are hidden here, such as the house in Mülheimer Freiheit road (1762), the St. Clemens church, which dates back to the Middle Ages, or the city fountain near the former horse-drawn tram terminus.

Autonome depuis 1914, Mülheim est dominée par l'industrie. Et pourtant, elle recèle des trésors, comme par exemple cette maison de 1762 sur le Mülheimer Freiheit, l'église médiévale St. Clément sur le Rhin ou la fontaine à l'emplacement du terminus des tramways à traction chevaline.

Abend am Rhein; die Schiffe haben angelegt, der Verkehr lärmt nicht mehr auf der Mülheimer Brücke (auf Drängen Konrad Adenauers 1927 bis 1929 als Hängebrücke gebaut). Im Gegenlicht die Statue des heiligen Nepomuk an ihrem Platz vor der Clemenskirche.

Evening on the Rhine; the ships are anchored, the traffic no longer zooms over the Mülheim bridge (built between 1927 and 1929 as a suspension bridge on the insistence of Konrad Adenauer). Against the light, the statue of Saint Nepomuk in the square in front of St. Clemens church.

Le soir tombe sur le Rhin; les bateaux se sont amarrés, le bruit de la circulation s'est éteint sur le Mülheimer Brücke, un pont suspendu construit entre 1927 et 1929 à l'initiative de Konrad Adenauer. En contre-jour, la statue de Saint-Népomucène devant l'église St. Clément.

Heimatmuseum im Haus des Kölner Karnevals

Viele Dokumente, Zeugnisse und Materialien aus der Geschichte des Kölner Karnevals waren im Krieg zerstört worden oder verlorengegangen. Das Erhaltene wurde bewahrt und im Lauf der Jahre ergänzt. Im Festkomitee und unter den Freunden des Kölner Karnevals fanden sich immer wieder Leute, die über das aktuelle Geschehen hinausblickten; nicht nur nach vorn, sondern auch zurück auf die Ursprünge des Volksfestes, seine Entwicklungen und seine Veränderungen.
Was lag näher, als die erhalten gebliebenen und neu zusammengetragenen Schätze, Orden, Kostüme, Dokumente, Notenblätter und vieles mehr, auch der Öffentlichkeit zugänglich zu machen, in einem Heimatmuseum für die Kölner Bürger, die in der vielfältigen Sammlung ein wichtiges Stück der Geschichte ihrer Stadt und ihrer Eigenart wiederfinden sollten und auch für Fremde, die übrigens in überraschend großer Zahl in das Haus kommen. 1985 wurde das Museum im Haus des Kölner Karnevals an der Antwerpener Straße eröffnet. Es wird von einem eingetragenen Verein getragen, der keinerlei öffentliche Zuschüsse bekommt.

Titelblatt des Programms für den Rosenmontagszug von 1900 (oben)
Umschlag eines Notenheftes mit den Liedern des Volkssängers Willi Ostermann (links)
Seite aus dem Protokollbuch des Festordnenden Comitees aus dem Jahr 1827 (Mitte)
Roter Funk von 1823 und Blauer Funk von 1870 im Ausstellungsraum (Originalkostüme; rechts)

Title page of the programme for the Rose Monday Procession 1900 (top)
Jacket of note music book with songs by the folk singer Willi Ostermann (left)
Page from the minute book of the Carnival Supervisory Committee of the year 1827 (centre)
"Roter Funk" of 1823 and "Blauer Funk" of 1870 in show room (original costumes: right)

Page de titre pour le programme du cortège du Rosenmontag de l'année 1900 (haut)
Couverture d'un cahier de musique reprenant les airs du chanteur Willi Ostermann (à gauche)
Page du registre du Comité organisateur de l'année 1827 (au milieu)
Dans la salle d'exposition, Roter Funk de 1823 et Blauer Funk de 1870 (costumes authentiques – à droite)

Museen in Köln

Wallraf-Richartz-Museum

Das Wallraf-Richartz Museum, seit dem Spätsommer 1986 im Neubau zwischen Dom und Rhein untergebracht, zählt zu den großen deutschen Gemäldegalerien. Ferdinand Franz Wallraf, Kanonikus, Theologieprofessor und letzter Rektor der Kölner Universität vor deren Schließung durch die Franzosen, hat die Sammlung begründet. Sein »Wallrafianum« enthielt Kunstwerke der unterschiedlichsten Art: Altarbilder, Skulpturen, römische Altertümer, wertvolle Bücher, Glas, Münzen, graphische Kostbarkeiten, Objekte der Botanik, der Archäologie und der Kunstgeschichte. Einen Teil des Materials hatte er nach der Säkularisierung um 1803 als herrenloses Gut zusammengetragen. Viele Stücke aus Wallrafs Sammlung sind heute auch in anderen Kölner Museen zu sehen.
Nach Wallrafs Tod fiel die Sammlung, wie er es testamentarisch verfügt hatte, an die Stadt Köln. Zum Erbe gehörten 1616 Gemälde, 3875 Zeichnungen und 42 419 graphische Blätter. Wallraf war nicht nur ein kundiger, sondern auch ein leidenschaftlicher Sammler gewesen. Jahrzehnte vergingen, bis für die Sammlung sowie weitere der Stadt gehörende Kunstschätze ein angemessenes Gebäude zur Verfügung gestellt wurde. 1854 schenkte der wohlhabende Kaufmann Johann Heinrich Richartz, ein Ledergroßhändler, seiner Vaterstadt Köln 100 000 Taler für den Bau eines Museums. 1855 wurde in Gegenwart des preußischen Königs der Grundstein gelegt. Als sich herausstellte, daß die Summe nicht ausreichte, gab Richartz noch einmal 100 000 Taler her. Das 1861 fertiggestellte Gebäude wurde im

Zweiten Weltkrieg zerstört. Die Kunstschätze, im Lauf der Jahre durch Ankäufe und zahlreiche Stiftungen von Kölner Bürgern ergänzt, waren jedoch sichergestellt worden. In den Jahren zwischen 1951 und 1957 wurde am Wallrafplatz ein Neubau für das Museum errichtet.
Stefan Lochners »Madonna im Rosenhag«, Dürers »Pfeifer und

Albrecht Dürer: Pfeifer und Trommler; um 1504 (links oben)
Rembrandt: Selbstbildnis; um 1668 (links unten)
Flügelaltärchen, kölnisch; um 1300 (rechts oben)

Paris Bordone: Bathseba im Bade; um 1545 (rechts unten)
Albrecht Dürer; Piper and Drummer, about 1504 (top left)
Rembrandt; Self portrait; about 1668 (bottom left)
Winged Altar-piece, from Cologne; about 1300 (top right)
Paris Bordone; Bathseba in the bath, about 1545 (bottom right)

Albrecht Dürer: Fifre et Tambour. Environ 1504 (en haut à gauche)
Rembrandt: Autoportrait. Environ 1668 (en bas à gauche)
Petit autel à volets. Art colonais. Environ 1300 (en haut à droite)
Paris Bordone: Betsabée au bain. Environ 1545 (en bas à droite)

Trommler«, Rubens' mythologisches Gemälde »Juno und Argus«, ein spätes Rembrandt-Selbstbildnis, Werke italienischer Meister, französische Barockmalerei oder Murillos »Der heilige Franziskus in der Portiuncula-Kapelle«, Bilder des in Köln geborenen Wilhelm Leibl, von Cèzanne, Renoir, Monet und van Gogh sind nur einige der Schätze, auf denen der Ruf des Wallraf-Richartz-Museums gegründet ist. Bedeutend sind auch die Skulpturensammlung und die Graphische Sammlung, in der Zeichnungen unter anderem von Dürer, Raffael und Leonardo da Vinci enthalten sind.

Im Neubau zwischen Dom und Rhein sind neben dem Wallraf-Richartz-Museum untergebracht: das Museum Ludwig, die Kölner Philharmonie, Teile der Kunst- und Museumsbibliothek (als öffentliche Kunstbibliothek), die Cinemathek Köln, ein Programmkino in der Art eines kommunalen Kinos, und das Agfa Foto-Historama. Letzteres präsentiert sich in Schauräumen an einer Gelenkstelle zwischen dem Wallraf-Richartz-Museum und dem Museum Ludwig – also gemäß der historischen Stellung der Fotografie. Es handelt sich um eine international bedeutende Sammlung von Fotografien (Schwerpunkt: 19. Jahrhundert), Karikaturen, Dokumenten und Kameras. Zusammen mit der Fotosammlung des Museums Ludwig (20. Jahrhundert) ist so die Fotogeschichte von den Anfängen bis zur Gegenwart präsent.

Stephan Lochner: Muttergottes in der Rosenlaube; um 1450 (links oben)
Peter Paul Rubens: Juno und Argus; um 1611 (links unten)
Vincent van Gogh: Die Zugbrücke; 1888 (rechts oben)
Auguste Renoir: Das Ehepaar Sisley; um 1868 (rechts unten)

Stephan Lochner; Madonna in the rose bower; about 1450 (top left)
Peter Paul Rubens; Juno and Argus; about 1611 (bottom left)
Vincent van Gogh; The Drawbridge; 1888 (top right)
Auguste Renoir; Sisley Man and Wife, about 1868 (bottom right)

Stéphane Lochner: La Mère de Dieu dans la charmille de roses. Environ 1450 (en haut à gauche)
Pierre Paul Rubens: Junon et Argus. Environ 1611 (en bas à gauche)
Vincent Van Gogh: Le Pont du chemin de fer. 1888 (en haut à droite)
August Renoir: Le couple Sisley. Environ 1868 (en bas à droite)

Museum Ludwig

Das Museum Ludwig teilt sich mit dem Wallraf-Richartz-Museum den Neubau im Dom/Rhein-Bereich. Privates Mäzenatentum hat auch dieses Museum geprägt. Professor Peter Ludwig, Ehrenbürger der Stadt Köln, und seine Frau Irene haben mit einer großzügigen Stiftung dazu beigetragen, daß es wie kaum ein anderes einen umfassenden Überblick über die Kunst des zwanzigsten Jahrhunderts bieten kann. Es ist auf diesem Gebiet eines der bedeutendsten Museen der Welt.

Schon bald nach 1945 hatte der Kölner Josef Haubrich (nach ihm ist der Platz an der Kunsthalle im Stadtzentrum benannt) der Stadt seine Sammlung moderner Kunst geschenkt; darunter waren zahlreiche Werke, die von den Nationalsozialisten als »entartete Kunst« verfemt worden waren und die er in Sicherheit gebracht hatte.

Der Bestand, im Laufe der Jahre immer wieder auch aus städtischen Mitteln ergänzt, reicht von den Klassikern der zwanziger Jahre bis zu den Werken der jüngsten Zeit, deren Verständnis, wie es in einer Schrift des Museums heißt, »uns noch schwerfällt; vielleicht aber findet sich unter ihnen bereits der Picasso von morgen«.

Deutsche Expressionisten wie Kirchner, Heckel, Nolde, Barlach, Bilder von Picasso, Chagall, Braque, Matisse, Beckmann, Ernst, Klee und Arp bilden das Fundament für die Kunst der sechziger Jahre, die Pop art und ihre Vorläufer. Im Kölner Museum Ludwig befindet sich die wohl größte Sammlung von Jasper Johns, Rauschenberg und Oldenburg; hinzu kommen weitere Amerikaner wie Warhol, Lichtenstein und Wesselmann. Eine graphische Sammlung und eine bedeutende internationale Sammlung zur Photographie des 20. Jahrhunderts ergänzen die Bestände, die noch durch eine Sammlung künstlerischer Videobänder erweitert werden soll.

Andy Warhol: Two Elvis (links oben)
Jasper Johns: Flag on Orange Field; 1957 (links unten)
Robert Rauschenberg: Odaliske (rechts)

Andy Warhol; Two Elvis (top left)
Jasper Johns; Flag on Orange Field; 1957 (bottom left)
Robert Rauschenberg; Odalisque (right)

Andy Warhol: Deux Elvis (en haut à gauche)
Jasper Johns: Flag on orange field (drapeau sur champ orange) 1957 (en bas à gauche)
Robert Rauschenberg: Odalisque (à droite)

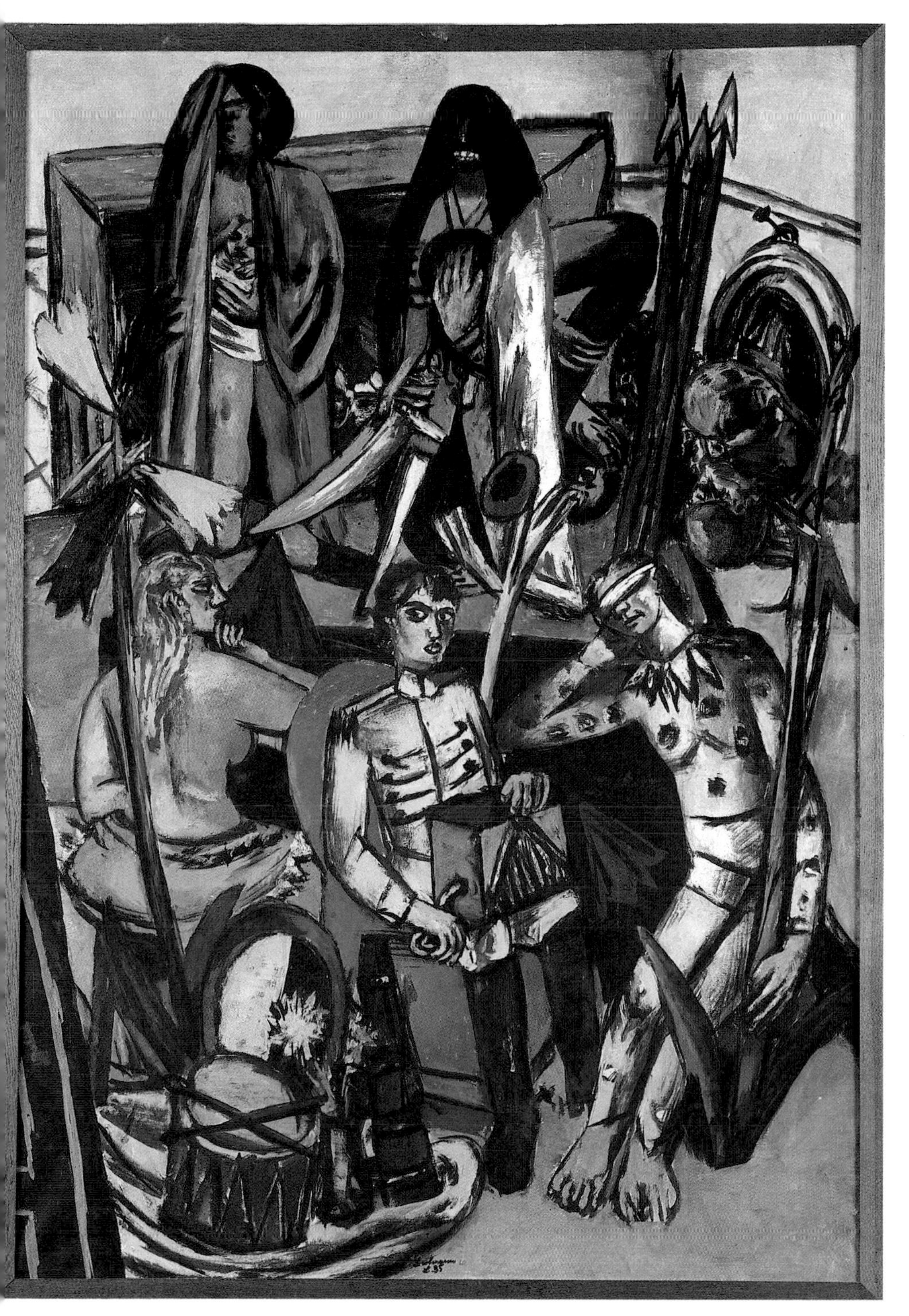

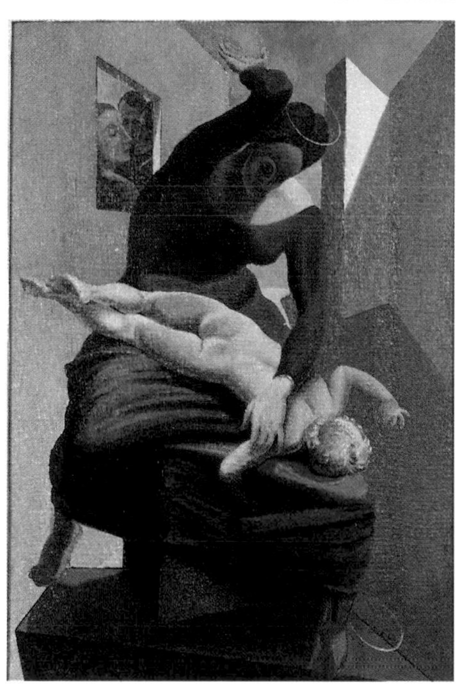

Max Beckmann: Der Leiermann; 1935 (links)
Paul Klee: Hauptweg und Nebenwege; 1929 (Mitte oben)
Pablo Picasso: Frau mit Kinderwagen; 1950 (Mitte unten)
Kasimir Malewitsch: Dynamischer Suprematismus; 1916 (rechts oben)
Max Ernst: Die Jungfrau züchtigt den Jesusknaben (rechts unten)

Max Beckmann; "Der Leiermann" (The Hurdy-gurdy man) 1935 (left)
Paul Klee; Hauptweg und Nebenwege; 1929 (top centre)
Pablo Picasso; Woman with pram; 1950 (bottom centre)
Kasimir Malewitsch; Dynamic supremacy; 1916 (top right)
Max Ernst: The Virgin scolds the child Jesu (bottom right)

Max Beckmann: Le Musicien ambulant. 1935 (à gauche)
Paul Klee: Voie principale et Voies secondaires. 1929 (en haut au milieu)
Pablo Picasso: Femme à la voiture d'enfant. 1950 (au milieu en bas)
Kasimir Malewitch: Suprématie dynamique. 1916 (en haut à droite)
Max Ernst: Vierge corrigeant l'Enfant Jésus (en bas à droite)

Römisch-Germanisches Museum

Auf den Mauern einer römischen Stadtvilla mit dem weltberühmten Dionysos-Mosaik steht das Römisch-Germanische Museum. Als das Haus 1974 eröffnet wurde, erregte es weit über Köln hinaus Aufsehen und außergewöhnliches Publikumsinteresse. In zehn Jahren wurden an die zehn Millionen Besucher gezählt. Zu diesem Erfolg hat zweifellos die ungewöhnliche Präsentation beigetragen. Eine große Fensterfront gibt Tag und Nacht den Blick vom Domplatz frei auf das Dionysos-Mosaik und das große Grabmal des römischen Legionärs Poblicius. Um den Museumsbau sind römische Funde postiert. Die Innenräume sind so gestaltet, daß sie zu einem unbeschwerten Spaziergang durch die Geschichte einladen. Wer mag, kann sich über einzelne Aspekte umfassend informieren. Ein ausgeklügeltes didaktisches Informationssystem leitet dazu an.

Archäologische Kostbarkeiten und Dinge des täglichen Lebens vermitteln ein lebhaftes Bild der Römerzeit und der Frühgeschichte im Kölner Raum. Das Museum, das zugleich Forschungsstätte und Archiv des archäologischen Erbes ist, enthält auch zahlreiche Funde aus der Urzeit der Menschheit. In dem Kölner Haus ist die umfangreichste Sammlung antiker Glasgefäße zu sehen, dazu gehört ein kostbares Diatretglas. Ein besonders schönes Stück ist auch ein miniaturhaft kleiner Kopf des Kaisers Augustus. In der Schatzkammer wird Schmuck aus frühen Epochen seit der Zeit der Völkerwanderung gezeigt. Kein anderes Museum in Westeu-

ropa besitzt eine ähnlich umfangreiche Sammlung reiternomadischen Schmucks.

Eine für das Konzept dieses Museums charakteristische Abteilung gewährt Einblick in den Alltag der römischen Stadt. Etwa in einer Küche oder einem Speiseraum, wo Funde so untergebracht sind, wie sie einst in Benutzung waren.

Grabrelief des Flavius Bassus (links oben)
Publiciusgrab (links unten)
Blick ins Innere des Museums (rechts oben)
Dionysosmosaik, Detail (rechts unten)

Tomb relief of Flavius Bassus (top left)
Poblicius tomb (bottom left)
View of the interior of the museum (top right)
Dionysos Mosaic; Detail (bottom right)

Relief du tombeau de Flavius Bassus (en haut à gauche)
Tombeau de Poblicius (en bas à gauche)
Vue sur l'intérieur du Musée (en haut à droite)
Mosaïque de Dionysos. Détail (en bas)

Zierflasche mit Fadendekor; Ende 3./Anfang 4. Jahrhundert (links oben)
Römisches Armband mit Smaragden (links unten)
Römische Keramik (rechts oben)
Römischer Reisewagen (rechts unten)

Ornamental flask with thread decor; end of the 3rd/beginning of the 4th century (top left)
Roman bangle with emeralds (bottom left)
Roman ceramic (top right)
Roman carriage (bottom right)

Bouteille ouvragée, décorée à la plume. Fin 3° siècle, début 4° (en haut à gauche)
Bracelet romain orné d'émeraudes (en bas à gauche)
Céramique romaine (en haut à droite)
Voiture romaine (en bas à droite)

Kölnisches Stadtmuseum

Eine Abteilung dieses Museums, das 1984 nach einem Umbau mit neuer Konzeption wiedereröffnet worden ist, hat den Titel »So weit wir uns erinnern können«. Darin wird Zeitgeschehen in Zeitungsseiten dokumentiert, sind Materialien aus der Nachkriegszeit, dem »Dritten Reich«, der Zeit Konrad Adenauers als Oberbürgermeister und aus dem Ersten Weltkrieg ausgestellt. Hier, wie auch an vielen anderen Stellen des Hauses, findet der Besucher Dinge, die vor einer Anzahl von Jahren noch zu seinem Alltag gehört haben, die inzwischen aber von der Bildfläche verschwunden sind. Was gestern war, ist heute Geschichte. Eine andere Abteilung zeigt, was der Besucher bewußt oder unbewußt mit Köln in Verbindung bringt, Kölnisch Wasser etwa, den Karneval, Gläser für Kölsch, das spezielle Kölner Bier, einen in Köln gebauten und liebevoll wieder hergerichteten Oldtimer der Fordwerke oder das Hänneschen, die älteste Puppenbühne im deutschsprachigen Raum.
Erinnerung geht dann unversehens in Geschichte über. Modelle, Bilder, Gebrauchsgegenstände, Kunstwerke und Dokumente zeigen, wie Köln früher war, sie erinnern an die Hochblüte im Mittelalter und an wirtschaftlichen Niedergang. Das Selbstbewußtsein der Kölner, ihre Auseinandersetzungen mit geistlichen und weltlichen Herren, ihre bürgerliche Stadtverfassung, aber auch Korruption und Klüngel werden dokumentiert. Und wo immer es möglich ist, zeigt dieses Museum, wie die Menschen in Köln gelebt haben – die reichen Menschen vor allem, denn Armut hat wenig Spuren hinterlassen.

Kölner Wappen; um 1700; Eichenholz gefaßt in Gold und Weiß (links oben)
Erdglobus; 1542; von Caspar Vopelius von Medebach (links Mitte)
Hansaschüssel; Rheinland, 12. Jahrhundert; Bronze (rechts oben)
Löwenkampf des Bürgermeisters Gryn und Schlacht bei Worringen; Ende 16. Jahrhundert (unten)

Cologne coat of arms, about 1700; oak set in gold and white (top left)
The globe, 1542; by Caspar Vopelius von Medebach (left centre)
Hanseatic bowl; Rhineland, 12th century; bronze (top right)
Fight of the Lions of Mayor Gryn and the Battle of Worringen, 16th century (bottom)

Les armes de Cologne (environ 1700). Chêne travaillé en or et blanc (en haut à gauche)
Globe terrestre (1542). Caspar Vopelius de Medebach (au milieu à gauche)
Ecuelle de la Hanse. Rhénanie (12^{0} siècle) Bronze (au dessus à droite)
Combat du bourgmestre Gryn avec le lion et Bataille de Worringen. Fin du 16^{0} siècle (en bas)

Überbauschrank mit Darstellungen zum Thema »Susanna im Bade«; 1610; Einlagen Palisander und Ahorn; Melchior von Reidt (links oben)

Zeitgenossen (2. v. links: Konrad Adenauer); 1931, Heinrich Hoerle (links unten)

Rosenmontagszug 1836 auf dem Neumarkt; Simon Meister zugeschrieben (rechts oben)

Tafelaufsatz »Vater Rhein« aus dem Ratssilber; Gabriel Hermeling; 1900 (rechts unten)

Protruding cupboard with scenes on the theme of "Susanna in the bath"; 1610. Inlays of palisander and maple; Melchior von Reidt (top left)

Contemporaries (2nd from left: Konrad Adenauer); 1931, H. Hoerle (bottom left)

Rose Monday Procession in the Neumarkt 1836; attributed to Simon Meister (right)

Table centre-piece "Father Rhine from the council silver; Gabriel Hermeling; 1900 (bottom right)

Armoire avec représentations sur le thème de «Suzanne au bain». (1610) Marquetterie de palissandre et d'érable. Melchior von Reidt (enhaut à gauche)

Contemporains (2° à gauche: Konrad Adenauer) 1931. H. Hoerle (en bas à gauche)

Cortège du Rosenmontag sur le Neumarkt, en 1836. Attribué à Simon Meister (en haut à droite)

Dessus de table «Vater Rhein» en argent. Gabriel Hermeling 1900 (en bas à droite)

Schnütgen-Museum

Dies ist wohl das stimmungsvollste unter allen Kölner Museen. Das Gebäude und die Ausstellungsstücke bilden eine Einheit: Das Schnütgen-Museum für mittelalterliche Kunst, genauer definiert vom Ausgang der Antike bis zum 19. Jahrhundert, ist seit 1956 in der romanischen Kirche St. Cäcilien untergebracht.

Das Museum geht auf die 1906 erfolgte Stiftung des Kölner Domkapitulars Wilhelm Alexander Schnütgen zurück. Er hatte, nachdem er 1866 zum Priester geweiht und als Vikar an den Kölner Dom berufen worden war, den Kölner Raum und die angrenzenden Regionen bis hin nach Westfalen und Niedersachsen durchstreift, um verborgene Schätze aufzuspüren. Er fand sie in Kirchen und Privathäusern. Der routinierte, fast fanatische Sammler kam zu hohen Ehren; er wurde Ehrendoktor in Löwen, Professor in Bonn und Ehrenbürger der Stadt Köln. Museumsdirektoren wie Fritz Witte, Hermann Schnitzler und Anton Legner verstanden es, Mäzene und Förderer zu gewinnen, mit deren Hilfe die Bestände kontinuierlich ausgebaut werden konnten.

So bietet das Museum heute einen weitreichenden Überblick über die mittelalterliche, vorwiegend die christliche Kunst- und Kulturgeschichte. Schwerpunkte in dieser rheinischen Schatzkammer sind romanische Bildwerke und Kölner Madonnenfiguren der Gotik, Goldschmiedekunst und kostbare Stoffe, Elfenbeinschnitzereien und Glasgemälde, liturgisches Gerät und Gebrauchsgegenstände. Hier wird auch die Funktion der Objekte im Zusammenhang mit dem kirchlichen Leben im Mittelalter deutlich.

Grundsätzliche Erscheinungen werden hier aufgezeigt, beispielsweise die Wandlung in der Gestaltungsauffassung der Skulptur, die Rolle liturgischer Geräte, der die Kostbarkeit des Materials entspricht, die Bedeutung geistlicher Bücher und ihrer Ausstattung oder der Reliqienkunst mit ihren Auswirkungen.

Tod Mariens; um 1200; Glasgemälde (links oben)

Elfenbein-Diptychon; um 800; (links unten)

Blick ins Innere des Museums (rechts oben)

Parlerbüste; um 1390; Köln (re. unten)

Death of Mary; about 1200; painting on glass (top left)

Ivory diptych; about 800 (bottom left)

View of the interior of the museum (top right)

Parler bust, about 1390; Cologne (bottom right)

La Mort de Marie. Environ 1200. Peinture sur verre (en haut à gauche)

Diptyque en ivoire. Environ 800 (en bas à gauche)

Vue l'intérieur du Musée (en haut à gauche)

Buste. Environ 1390. Cologne (en bas à droite)

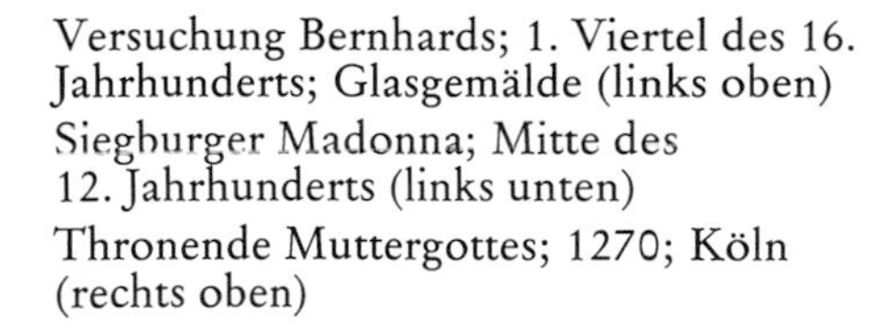

Versuchung Bernhards; 1. Viertel des 16. Jahrhunderts; Glasgemälde (links oben)
Siegburger Madonna; Mitte des 12. Jahrhunderts (links unten)
Thronende Muttergottes; 1270; Köln (rechts oben)
Tympanon aus St. Cäcilien, Köln; um 1170 (rechts unten)

Temptation of Bernhard; 1st quarter of the 16th century; glass painting (top left)
Siegburg Madonna; middle of 12th century (bottom left)
Enthroned Madonna; 1270; Cologne (top right)
Tympanum from St. Cecil's, Cologne; about 1170 (bottom right)

Tentation de St. Bernard. 1er quart du 16° siècle. Peinture sur verre (en haut à gauche)
Madonne de Siegburg. Milieu du 12° siècle (en bas à gauche)
Mère de Dieu sur le trône. 1270. Cologne (en haut à droite)
Tympan de Ste. Cécile. Cologne. Environ 1270 (en bas à droite)

Schatzkammer der Hohen Domkirche

Die Schatzkammer der Hohen Domkirche zu Köln ist untergebracht in zwei Jochen des östlichen Seitenschiffes der Kathedrale. Der Eingang befindet sich im nördlichen Querhaus.
Die Schatzkammer ist kein Museum im gebräuchlichen Sinne des Wortes, auch wenn die Gegenstände museal aufgestellt sind. Sie ist vielmehr der Tresor der Domsakristei. Alles was hier aufgestellt ist, diente oder dient noch heute dem gottesdienstlichen Gebrauch. Der Schatz spiegelt ein großes Stück der wechselvollen Geschichte der Kathedrale. Die ältesten Gegenstände sind mehr als 1000 Jahre im Besitz des Domes. Aus Urkunden ergibt sich, daß der Schatz einmal viel umfangreicher gewesen ist. Immer wieder haben Geschehnisse und Einwirkungen den Bestand geringer oder umfangreicher werden lassen. Was wir heute sehen, ist der Rest, der die Eingriffe und Beraubungen im Laufe der Jahrhunderte überdauert hat. Er ist bedeutend und kostbar. Der Schatz umfaßt u. a. kirchliches Gerät, Kelche, Monstranzen, Reliquiare, liturgische Gewänder, Handschriften und den Seidenstoff von den Gebeinen der Heiligen Drei Könige (2./3. Jh.).

Evangeliar, Beginn des Matthäusevangeliums, frankosächsisch; um 860/870 (oben)
Dalmatik aus der Capella Clementina; vor 1742; aus dem Bestand von Paramenten für die Kaiserkrönung Karls VII. (links unten)
Dreikönigenschrein, Stirnseite; 1181–ca. 1225; Figuren und Details aus reinem Gold (rechts unten)

Gospels, start of the Gospel According to St. Matthew, Franco-Saxon; about 860/870 (top)
Dalmatic from the Capella Clementina; before 1742; from the store of robes for the coronation of Charles VII. (bottom left)
Shrine of the Three Kings, front; 1181–ca. 1225. Figures and details in pure gold (bottom right)

Evangéliaire. Début de l'Evangile selon St. Mathieu. Epoque franque/saxonne. Environ 860/870 (au dessus)
Dalmatique de la Capella Clementina. Avant 1742. Provient du fonds d'ornements du sacre de l'empereur Charles VII (en bas à droite)
Châsse des Rois Mages. Frontispice. 1181/environ 1225. Figures et détails d'or massif (en bas à droite)

Monstranz aus St. Kolumba, Köln; um 1400; nach Diebstahl 1975 ergänzt (links oben)

Kelch; Augsburg um 1720; von J. M. Maurer; Silber vergoldet (links unten)

Bischofsstab, Köln oder Paris?; um 1350; Silber, zum Teil vergoldet (Mitte oben)

Brustkreuz mit Ring, Wien?; 18. Jahrhundert, Silber, Smaragde, Brillanten (Mitte unten)

Liber pontificalis, Diözese Cambrai; um 1050; Thronende Madonna mit Kind (rechts)

Monstrance from St. Kolumba, Cologne; about 1400; added to following theft in 1975 (top left)

Chalice, Augsburg about 1720. By J. M. Maurer; silver – gilded silver (bottom left)

Bishop's crook, Cologne or Paris?; about 1350: silver, partly gilded (top centre)

Pectoral cross with ring, Vienna?; 18th century, silver, emeralds, diamonds (bottom centre)

Liber pontificalis, diocese of Cambrai, about 1050; Enthroned Madonna with child (right)

Ostensoir de Ste. Columba. Cologne. Environ 1400. Reconstiué après le vol de 1975 (en haut à gauche)

Calice. Augsbourg environ 1720. J.M. Maurer. Argent doré (en bas à gauche)

Crosse. Cologne ou Paris, environ 1350. Argent partiellement doré (au centre en haut)

Croix pectorale avec anneau. Vienne? 18^{0} siècle. Argent, émeraudes, brillants (en bas au centre)

Liber pontificalis. Diocèse de Cambrai, environ 1050. Madonne trônante avec l'Enfant (à droite)

Erzbischöfliches Diözesan-Museum

Das Erzbischöfliche Diözesan-Museum nimmt eine Sonderstellung ein. Während die anderen Kölner Museen auf bestimmte Sachgebiete ausgerichtet sind, umfaßt dieses kirchliche Museum Gegenstände aus allen Bereichen des christlichen religiösen Lebens. Als sich 1853 unter Weihbischof Baudri ein christlicher Kunstverein bildete, genehmigte Kardinal von Geissel die Errichtung des Diözesan-Museums. Nach der Sammlung von Ferdinand Franz Wallraf ist dies das zweitälteste Museum in Köln. Es wurde 1860 eröffnet; eine königliche Kabinettsorder hatte dem Museum die Rechte einer juristischen Person zugestanden. Bis zur Zerstörung im Zweiten Weltkrieg blieb es im selben Haus. 1972 konnten die zum größten Teil vor den Bomben in Sicherheit gebrachten Bestände in einem neuen Gebäude in unmittelbarer Nachbarschaft des Kölner Doms wieder ausgestellt werden.

Figuren und Ausstattungsstücke des Doms sind denn auch wichtige Teile der Sammlung, etwa die Apostel vom Petersportal, Propheten und Engel, Madonnenskulpturen, Wasserspeier und Kapitelle. Die künstlerisch und kulturhistorisch wertvollen Stücke, meist aus Kalksandstein gefertigt, konnten so vor weiterer Verwitterung bewahrt und der Nachwelt erhalten werden.

Neben großen Kunstwerken aus Malerei und Plastik zeigt das Museum bedeutende Dinge aus dem Bereich der christlichen Archäologie, der Baukunst, aus dem Kunstgewerbe sowie aus der Volksfrömmigkeit. So entstand im Rahmen der Museumsbestände eine Geschichte christlicher Kultur. Im Museum und in Zusammenarbeit mit ihm wird wichtige Forschungsarbeit geleistet. Daher kann sich nicht nur der Laie an schönen und kostbaren Ausstellungsstücken erfreuen; auch Wissenschaftler profitieren davon.

Kaselkreuz; um 1300; Seide auf Leinen (links)
Die Marter der Makkabäer, der Gekreuzigte und die schmerzhafte Mutter mit den sieben Schwertern; Ende 15. Jahrhundert (rechts oben)
Stephan Lochner; Madonna mit dem Veilchen; 2. Viertel 15. Jahrhundert (Mitte unten)
Karolingisches Evangeliar; 9. Jahrhundert; der Evangelist Lukas (rechts unten)

Chasuble cross; about 1300; silk on linen (left)
The Torture of the Maccabees, the crucified Jesus and the suffering Mary with the seven swords; end of 15th century (top right)
Stephan Lochner; Madonna with the Violet; 2nd quarter of 15th century (bottom centre)
Carolingian Gospel; 9th century; The Evangelist Lucas (bottom right)

Croix de chasuble. Environ 1300. Soie sur lin (à gauche)
Le martyre de Maccabée, le Crucifié et Mater Dolorosa aux Sept Glaives. Fin 15e siècle (en haut à droite)
Stéphane Lochner. Madone aux Violettes 2e quart du 15e siècle (au centre en bas)
Evangéliaire carolingien. 9e siècle. L'évangéliste Luc (en bas à droite)

Sassanidenstoff; Syrien, um 600; aus dem Reliquienschrein des hl. Kunibert (links oben)

Severinusscheibe; 11. Jahrhundert; Gold mit Zellenschmelz in acht Farben (links unten)

Kreuzigung Christi; Jan de Beer (ca. 1480/90–1536/42) zugeschrieben (Mitte unten)

Der Rosenkranz; Vitrine mit Stücken der Sammlung H. Marten und Leihgaben (oben rechts)

Hausaltärchen der Verkündigung Mariens; um 1440; gebrannte Tonfiguren (rechts unten)

Sassanian material; Syria about 600, from the reliquary of St. Kunibert (top left)

Severinus disk; 11th century, gold with cloisonné enamel in eight colours (bottom left)

Christ's Crucifixion; attributed to Jan de Beer ca. 1480/90 – 1536/42 (bottom centre)

The Rosary; Show case with parts of the collection of H. Marten and loaned exhibits (top right)

House altar of the Annunciation; about 1440; baked clay figures (bottom right)

Etoffe Sassanide. Syrie, environ 600. Provient de la châsse de St. Cunibert (en haut à gauche)

Cadran de Séverin. 11e siècle. Or et incrustations émaillées en huit couleurs (en bas à gauche)

Crucifixion. Attribuée à Jan de Beer. Environ 1480/1490–1536/1542 (en bas au centre)

Le Rosaire. Vitrine renfermant des pièces de la collection H. Marten et des pièces en prêt (en haut à droite)

Petit autel domestique de l'Annonciation de Marie. Environ 1440. Figures brûlées (en bas à droite)

Museum für Angewandte Kunst

Gegründet 1888
als Kunstgewerbemuseum

Das Museum für Angewandte Kunst, das 1888 als Kunstgewerbemuseum entstand, ist eines der ältesten Kölner Museen. Bürger haben es gegründet, unter anderem mit dem Ziel, dem Kunsthandwerk neue Impulse zu geben und den Geschmack weiterzubilden. Auch eine umfangreiche Fachbibliothek und eine Ornamentenstichsammlung sollten diesem Zweck dienen.

Im Lauf der Jahre änderte sich die Zielsetzung; das Museum wandte sich an ein breiteres Publikum, zum Beispiel mit einer bedeutenden Keramiksammlung mit den Abteilungen Steinzeug, Majolika, Fayence und Porzellan, einer großen Glassammlung oder den Textil- und Möbelsammlungen. Räume wurden historisch möbliert, um den Besuchern einen Eindruck vom Lebensstil vergangener Epochen zu vermitteln.

Das Museum zeigt europäisches Kunsthandwerk vom Mittelalter bis zur Gegenwart. Umfangreich ist beispielsweise der Jugendstil dokumentiert.

Bis in die jüngste Zeit hinein haben Kölner Bürger diesem Museum Sammlungen und Erbstücke aus ihrem Privatbesitz überlassen. Der Bestand wuchs kontinuierlich. Im Zweiten Weltkrieg konnte er so rechtzeitig ausgelagert werden, daß er fast vollständig erhalten geblieben ist. Das im Jahr 1900 fertiggestellte Museumsgebäude hingegen, eine Stiftung des Industriellen Otto Andreae, ging in Schutt und Asche. Nach dem Ende des Krieges fand das Kunstgewerbemuseum eine provisorische Unterkunft im restaurierten historischen »Overstolzen-

Pokal mit Hochzeitszug; Ende 15. Jahrhundert; Venedig (links oben)
Enghalskanne mit Neptun; 1680 bis 1690; Johann Heel, Nürnberg (links unten)
Läufer; zweite Hälfte 16. Jahrhundert; Bronze Niederlande (rechts)

Goblet with wedding procession; end of 15th century; Venice (top left)
Narrow-necked jug with Neptune; 1680 to 1690; Johann Heel, Nuremberg (bottom left)
Runner; second half of 16th century; bronze Netherlands (right)

Coupe avec cortège nuptial. Fin 15e siècle. Venise (en haut à gauche)
Broc à goulot étroit avec Neptune. 1680/1690. Johann Heel, Nuremberg (en bas à gauche)
Coureur. Seconde moitié du 16e siècle. Bronze. Hollande (à droite)

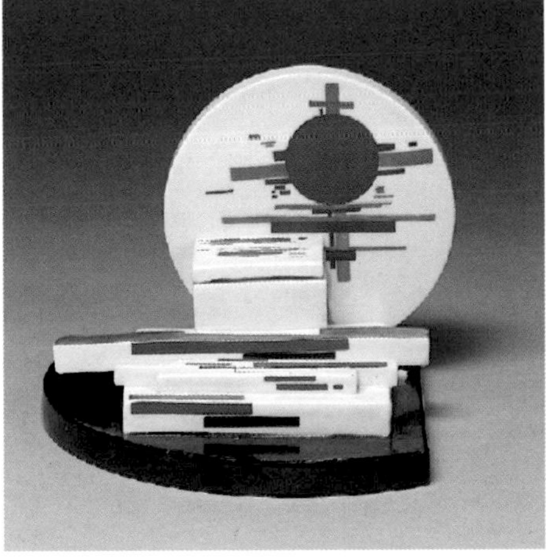

haus« in der Kölner Altstadt. Der Bau war so klein, daß nicht einmal die wichtigsten und schönsten Museumsstücke ständig gezeigt werden konnten.
Als im Dom/Rhein-Bereich der Neubau für Wallraf-Richartz-Museum und Museum Ludwig errichtet wurde, beschloß der Rat der Stadt, das freigewordene Gebäude An der Rechtschule für das Kunstgewerbemuseum zur Verfügung zu stellen; gleichzeitig änderte er den Namen des Instituts in »Museum für Angewandte Kunst«.

Taubenpaar; 1732; Porzellan, bemalt; Meißen (links oben)
Konsoltisch; 1750 bis 1760; vergoldet, Marmorplatte; Entwurf: F. Cuvilliès (links unten)
Teeservice; 1905; Silber mit Ebenholz; Entwurf: H. van de Velde (rechts oben)
Teile des Teeservice »Tac I«; 1969; Rosenthal; Entwurf: W. Gropius und L. McMillen (rechts Mitte)
Schreibzeug; 1922/1923; Porzellan bemalt, Leningrad; Entwurf: N. M. Sujetin (rechts unten)

Pair of doves; 1732; porcelain, painted; Meissen (top left)
Console; 1750 to 1760, gold-plated, marble slab, Design: F. Cuvilliès (bottom left)
Tea service, 1905; silver with ebony; design: H. van de Velde (top right)
Parts of the tea service "Tac I"; 1969; Rosenthal; Design: W. Gropius and L. McMillen (centre right)
Writing materials; 1922/1923; porcelain painted, Leningrad; design; N. M. Sujetin (bottom right)

Couple de colombes. 1732. Porcelaine de Meissen (en haut à gauche)
Console. 1750/1760. Plaque de Marbre dorée. Projet: F. Cuvilliès (en bas à gauche)
Service à thé. 1905. Argent et ébéne. Projet: H. van de Velde (en haut à droite)
Partie du service à thé «Tac I». 1969. Rosenthal. Projet: W. Gropius et L. McMillen (au milieu à droite)
Ecritoire. 1922/1923. Porcelaine peinte. Léningrad. Projet: N.M. Sujetin (en bas à droite)

Museum für Ostasiatische Kunst

Ein paar hundert Meter außerhalb der Innenstadt, im Inneren Grüngürtel, erschließt sich dem Besucher eine fremdartige Welt. Vor grünen Hügeln liegt unmittelbar am Aachener Weiher das Museum für Ostasiatische Kunst, 1966 von Kunio Mayekawa, einem der bekanntesten Architekten Japans geplant, 1977 eröffnet. Der niedrige, mit in Japan gebrannten braunen Ziegeln verkleidete Bau schmiegt sich in die Landschaft ein, große Fenster geben den Blick über den Weiher auf die Silhouette der Stadt oder in einen hübschen japanischen Garten frei. Schon 1913 war in Köln ein ostasiatisches Museum eröffnet worden, das erste in Europa. Der Sammler Professor Adolf Fischer und seine Frau Frieda hatten die Stadt zu dieser Einrichtung bewogen, nachdem entsprechende Bemühungen in Berlin und Kiel fehlgeschlagen waren. Zu jener Zeit wurden chinesische, japanische und koreanische Kunstwerke meist in Kunstgewerbe- oder Völkerkundemuseen gezeigt.

Das Museum beherbergt unter anderem eine einzigartige Sammlung buddhistischer Holzplastiken, herrliche Keramik, Lackarbeiten, Textilien, prähistorische und frühgeschichtliche Funde und ausgewählte Graphiken. Es verfügt zudem über die in der Bundesrepublik wohl beste Fachbibliothek zur Archäologie und Kunstgeschichte Ostasiens.

Die Kunstwerke, so reizvoll sie dem Besucher erscheinen, sind (wie es der Direktor des Museums einmal ausdrückte) »in einer fremden Sprache geschrieben«. Bei der Präsentation wird daher besonderer Wert auf Erklärung und Hinführung gelegt.

Zeremonialgefäß für Opferwein, Typ Yu; 11. Jahrhundert v. Chr.; Bronze (links oben)

Kasten in Form eines Handspiegels; Ming-Zeit 1522 bis 1576; Holz, Lack (links unten)

Shô-Kannon; Fujiwara-Zeit, zweite Hälfte des 11. bis 12. Jahrhundert (rechts)

Ceremonial vessel for sacramental wine, Type Yu; 11th century B. C.; bronze (top left)

Box in the form of a hand mirror; Ming period 1522 to 1576; wood, lacquer (bottom left)

Sho-Kannon: Fujiwara period, second half of the 11th to 12th century (right)

Vase de cérémonie pour vin de sacrifice. Type Yu. 11e siècle avant J.C. Bronze (en haut à gauche)

Coffret en forme de miroir à main. Epoque Ming. 1522/1576. Bois, laque (en bas à gauche)

Shô. Epoque Fujiwara. Seconde moitié du 11e siècle/12e siècle (à droite)

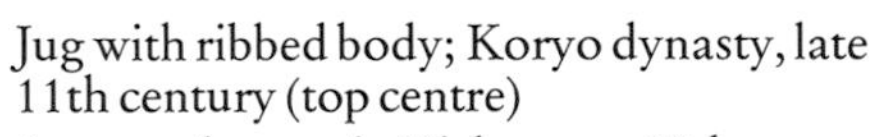

Landschaft mit zwei Personen; Che-Schule, 16. Jahrhundert; Tusche und Farbe auf Seide (links)

Kanne mit geripptem Körper; Koryo-Dynastie, spätes 11. Jahrhundert (Mitte oben)

Ahnenporträt; Yi-Dynastie, 18. Jahrhundert; Tusche und Farbe auf Seide (Mitte unten)

Vase (p'ing), Yung-chêng-Zeit, 1723 bis 1735; Porzellan mit Emailfarben (rechts oben)

Rückkehr Buddhas aus den Bergen; Mitte 15. Jahrhundert; Tusche auf Papier (rechts unten)

Landscape with two persons; Che school, 16th century; water colour and paint on silk (left)

Jug with ribbed body; Koryo dynasty, late 11th century (top centre)

Ancestral portrait; Yi dynasty, 18th century; water colour and paint on silk (bottom centre)

Vase (p'ing), Yung-cheng period, 1723 to 1735; porcelain with enamel paint (top right)

Buddha's return from the mountains; middle of 15th century; water colour on paper (bottom right)

Paysage avec deux personnages. Ecole Che 16° siècle. Encre de Chine et couleur sur soie (à gauche)

Broc à corps cannelé. Dynastie Koryo. Vers al fin du 11° siècle (en haut au centre)

Portrait d'ancètre. Dynastie Yi, 18° siècle. Encre de Chine et couleur sur soie (en bas au centre)

Vase (p'ing). Epoque Yung-chêng. 1723 à 1735. Porcelaine émaillée (en haut à droite)

Bouddha descendant de la montagne. Milieu 15° siècle. Encre de Chine sur papier (en bas à droite)

Rautenstrauch-Joest-Museum

Museum für Völkerkunde

Auch dieses Museum, das Museum für Völkerkunde, geht auf bürgerliches Mäzenatentum zurück. Es verdankt seine Entstehung dem Völkerkundler, Weltreisenden und Journalisten Professor Wilhelm Joest und dem Ehepaar Adele und Eugen Rautenstrauch, das nicht nur seine eigenen und die von dem auf einer Expedition verstorbenen Wilhelm Joest geerbten Sammlungen stiftete, sondern um die Jahrhundertwende auch das Geld zur Errichtung eines Museumsgebäudes am Ubierring zur Verfügung stellte. In diesem Haus, das nach Kriegsschäden unter Verwendung alter Teile 1967 wiederaufgebaut wurde, befindet sich das Museum noch heute.

Gewandelt aber hat sich die Ausstellungskonzeption. Stärker als in der Vergangenheit wirbt das Museum heute um Verständnis und Respekt für die außereuropäischen, oft schriftlosen Kulturen. Es will deutlich machen, daß sie nicht geringer einzuschätzen sind als unsere »technische« Zivilisation, und es will zudem helfen, durch die Methode des »Kulturvergleichs« die Erscheinungen unserer Daseinsform kritisch zu überdenken. Mit etwa 60 000 Objekten gehört das 1906 eröffnete Haus zu den großen Völkerkundemuseen in Deutschland. Es ist das einzige seiner Art in Nordrhein-Westfalen.

Veranschaulicht werden unter anderem die Kulturen des afrikanischen Kontinents, auch durch künstlerisch herausragende Insignien wie den Perlenthron eines Königs aus Kamerun, des präkolumbischen Amerika etwa mit altperuanischen Goldarbeiten oder der Indianer Nordamerikas. Hier ist auch viel über das Ökologieverständnis, die religiösen Vorstellungen und über die heutige Situation der Indianer zu erfahren. Besondere Aufmerksamkeit verdient die Indonesiensammlung mit Ahnen- und Geisterfiguren sowie der kompletten Ausstattung eines Zauberpriesters. Umfassend dokumentiert sind auch der fernöstliche und pazifische Raum sowie Südasien.

Mit Veranstaltungen wie Sonderausstellungen oder Konzerten ausländischer Musik, dargeboten von Interpreten der jeweiligen Länder, gelingt es dem Museum immer wieder, das Publikum und seine zahlreichen Förderer zu beeindrucken.

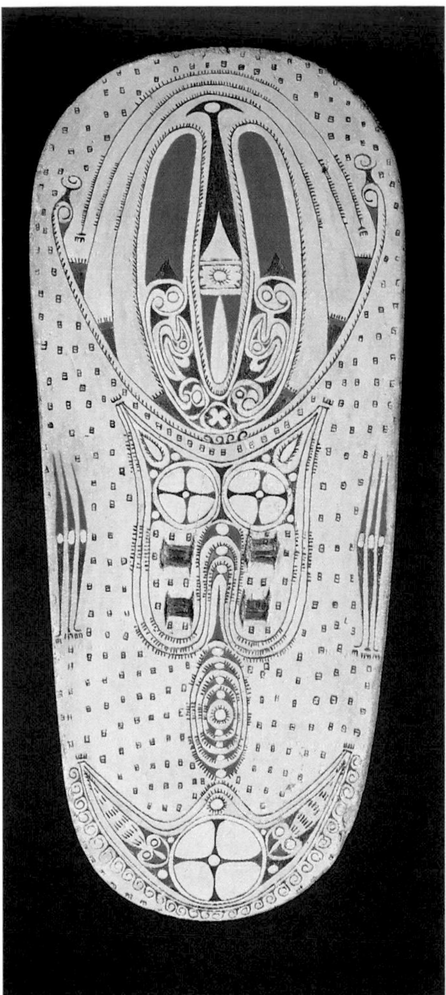

Schild mit magischem Dekor; um 1865; Trobriandinseln, Papua Neu Guinea (links)

Malanggan-Maske für ein Totenfest; nördliches Neu-Irland, Papua Neu Guinea (rechts)

Shield with magic decor; about 1865; Trobriand Islands, Papua New Guinea (left)

Malanggan Mask for death ritual; Northern New Ireland, Papua New Guinea (right)

Image avec décor magique. Environ 1865. Iles Trobriand, Nouvelle Guinée papoue (à droite)

Masque Malanggan pour une cérémonie funèbre. Nouvelle-Irlande du Nord. Nouvelle Grinre papoue (à droite)

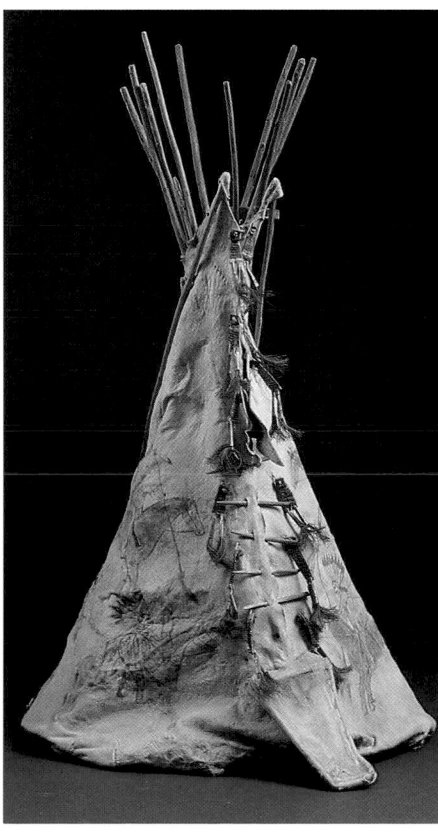

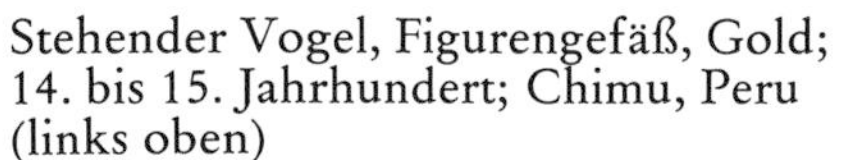

Stehender Vogel, Figurengefäß, Gold; 14. bis 15. Jahrhundert; Chimu, Peru (links oben)

Stelenfragment der Maya; Brustbild eines Fürsten; 7. Jahrhundert; Guatemala (links unten)

Tipi, Spielzeugzelt; 19. Jahrhundert; Prärie-Indianer Nordamerikas (Mitte unten)

Mönch in Anbetung; 1348 bis 1438; Thailand (Mitte oben)

Totengeistmaske der Igbo; 19. Jahrhundert; Nigeria (rechts oben)

Nashornvogel; um 1880; Borneo (rechts unten)

Standing bird, figure vessel, gold 14th to 15th century; Chimu, Peru (top left)

Stele fragment of the Maya, Half-length portrait of a prince; 7th century; Guatemala (bottom left)

Tipi, toy tent; 19th century; Prairie Indian of North America (bottom centre)

Monk at prayer; 1348 to 1438; Thailand (top centre)

Death mask of the Igbo; 19th century; Nigeria (top right)

Hornbill; about 1880; Borneo (bottom right)

Oiseau debout. Vase décoré. Or $14^0/15^0$ siècle. Chimu. Pérou (en haut à gauche)

Fragment de stéle Maya. Buste d'un prince. 7^0 siècle. Guatemala (en bas à gauche)

Tipi. Tente jouet. 19^0 siècle. Indiens de la prairie Nordaméricaine (au centre en bas)

Moine en prière. 1348/1438. Thaïlande (au centre en haut)

Masque figurant l'esprit de la mort. Igbo. 19^0 siècle. Nigéria (en haut à droite)

Oiseau. Environ 1880. Bornéo (en bas à droite)

Käthe-Kollwitz-Museum

Das Käthe-Kollwitz-Museum im Gebäude der Kreissparkasse am Neumarkt ist die jüngste Museumsgründung Kölns und eines der wenigen Museen, die einem einzigen Künstler gewidmet sind. 1985 zum 40. Todestag von Käthe Kollwitz eröffnet, bietet es einen umfassenden Überblick über das Werk dieser Frau. Es besitzt 135 Handzeichnungen, über 180 Graphiken und 15 Bronzen – der wohl weltweit größte Kollwitz-Bestand.

Den Grundstock der Sammlung bildete ein Konvolut von Handzeichnungen. Köln hat wunderbare, exemplarische Blätter aus allen künstlerischen Perioden: frühe intime Federzeichnungen, skizzenhafte Vorzeichnungen zu bedeutenden druckgraphischen Blättern, die dem Betrachter ein Nachvollziehen des Werkprozesses ermöglichen, aber auch ausdruckstarke Kohlezeichnungen, die vor allem der Spätphase angehören. Akte und Liebesszenen, von deren Existenz man zu Lebzeiten der Künstlerin nichts wußte, zählte Käthe Kollwitz selbst zu ihren besten Zeichnungen.

Käthe Kollwitz ist bekannt und berühmt geworden durch ihre druckgraphischen Blätter, die sie zum Teil – in der Tradition von Goya und Klinger – zu Zyklen zusammengefaßt hat. Die frühen Zyklen, der »Weberaufstand«, unter dem Eindruck des Hauptmannschen Dramas »Die Weber« entstanden, und der »Bauernkrieg« beweisen ihre klassische Meisterschaft im Umgang mit Radiernadel und Lithokreide. Neben den beiden in Holz geschnittenen expressiven Zyklen »Krieg« und »Proletariat« aus den 20er Jahren bildet die späte

Folge »Tod« den großartigen Abschluß. Einzelblätter und Plakate vervollständigen den druckgraphischen Teil der Sammlung.

Das plastische Werk kann – soweit museal greifbar – in besonders schönen und frühen Güssen vollständig gezeigt werden. Vorherrschend ist hier wie auch im graphischen Schaffen neben Werken zu den Themenkreisen Krieg und Tod die Mutter-Kind-Thematik.

Sonderausstellungen zu Künstlern oder Themen, die einen Bezug zum Kollwitz-Werk aufweisen, eine im Aufbau begriffene Spezialbibliothek sowie eine Filmsammlung ermöglichen wissenschaftlichen Zugang zum Kollwitz-Werk.

Tod und Frau; 1922/23; Kohle und schwarze Kreide auf Ingres-Bütten (links oben)

Demonstration; 1931; Lithographie (links unten)

Pieta; 1937/38; Bronze (rechts oben)

Mutter, Säugling an ihr Gesicht drückend; 1925; schwarze Kreide (unten)

Death and Woman; 1922/23; charcoal and black chalk (top left)

Demonstration; 1931; Lithograph (bottom left)

Pieta; 1937/38, bronze (top right)

Mother, pressing infant to her cheek; 1925; black chalk (bottom right)

La Femme et la Mort (1922/1923). Fusain et craie noire sur papier à la cuve (en haut à gauche).

Démonstration (1931). Lithographie (en bas à gauche).

Piéta (1937/1938). Bronze (en haut).

Mère au nourrisson, lui appuyant sur le visage (1925) Craie noire (en bas à droite).

Historische Daten

7000 v. Chr.
Ein im rechtsrheinischen Brück gefundenes Steinbeil sowie zahlreiche andere prähistorische Funde dokumentieren frühe Ansiedlungen im Kölner Raum.

38. v. Chr.
Gründung des »oppidum Ubiorum«. Die hier lebenden Ubier waren von den Römern aus dem Rechtsrheinischen auf die linke Rheinseite umgesiedelt worden.

50 n. Chr.
Kaiser Claudius erfüllt den Wunsch seiner Frau Agrippina minor, der Tochter des Feldherrn Germanicus, und verleiht der Ubiersiedlung, in der sie zur Welt kam, Stadtrechte unter dem Namen Colonia Claudia Ara Agrippinensium (CCAA). Aus Colonia wurde Köln.

313
Zum erstenmal wird ein christlicher Bischof, Maternus, aus Köln erwähnt. Seit wann es in der Stadt eine Christengemeinde gibt, ist unbekannt.

321
Kaiser Konstantin gesteht den Juden Privilegien zu, unter anderem das Recht, in den Rat der Stadt gewählt zu werden.

Um 800
Karl der Große erhebt Köln zum Erzbistum. Ab 1028 hat der Kölner Erzbischof das Recht, den deutschen König in Aachen zu krönen.

1074
Kölner Kaufleute erheben sich gegen Erzbischof Anno. Sie vertreiben ihn aus der Stadt, doch er kehrt zurück und schlägt den Aufstand brutal nieder.

1149
Zum erstenmal wird das Kölner Rathaus erwähnt; es stand schon damals an seinem heutigen Platz.

1164
Erzbischof Rainald von Dassel bringt die Gebeine der Heiligen Drei Könige aus Mailand nach Köln.

1248
Grundsteinlegung für den Bau des gotischen Doms.

1248
Dominikaner richten ein »Generalstudium« in Köln ein, Vorläufer der Kölner Universität.

1259
Köln erhält das Stapelrecht. Auf dem Rhein transportierte Waren müssen in der Stadt umgeladen werden, Kölner Kaufleute haben das Recht der Vorauswahl.

1288
Schlacht bei Worringen. Die weltliche Macht des unterlegenen Erzbischofs wird erheblich eingeschränkt.

1388
Papst Urban IV. erteilt der Stadt die Genehmigung zur Gründung einer Universität.

1396
In einem »Verbundbrief« wird eine Stadtverfassung festgelegt. Danach ist das Bürgerrecht von der Mitgliedschaft in einer Zunft (berufsständische Vereinigung) abhängig. Der Rat wird von den 22 Gaffeln (gesellschaftliche Zusammenschlüsse von Zünften) gewählt.

1396
Erste Erwähnung des in Köln gebrauten obergärigen Bieres (Kölsch).

1437–1444
Bau des Tanz- und Festhauses Gürzenich. (Er wurde nach dem Zweiten Weltkrieg als eines der ersten öffentlichen Gebäude wiederaufgebaut).

1475
Köln wird Freie Reichsstadt. Friedrich III. unterzeichnet den Privilegienbrief und erhebt Köln von der Verpflichtung, den Erzbischöfen zu huldigen. Schon 1474 hatte der Kaiser der Stadt »auf ewige Zeiten« das Münzrecht gewährt.

1709
Johann Maria Farina beginnt mit der Produktion des »aqua mirabilis«, das als Eau de Cologne oder Kölnisch Wasser Weltruhm erlangte.

1794
Napoleons Truppen ziehen in Köln ein; 1801 machen sie die Stadt zu einem Teil Frankreichs.

1797
Die bis dahin in Köln diskriminierten Protestanten dürfen das Bürgerrecht erwerben. 1802 erhalten sie ihr erstes Gotteshaus in Köln.

1798
Auch die in Köln häufig verfolgten Juden kehren in die Stadt zurück.

1798
Franzosen lösen die Kölner Universität auf, nachdem einige Professoren Frankreich den Treueid verweigert haben.

1814
Die Franzosen ziehen nach 20jähriger Herrschaft ab.

1815
Nach dem Wiener Kongreß fällt Köln an Preußen.

Stadtgründerin Agrippina
Agrippina, founder of the city
Agrippine, fondatrice de la ville

Der Schrein der Heiligen Drei Könige
Shrine of the Holy Three Kings
La châsse des Rois Mages

Jubel über den Weiterbau des Doms (1842)
Jubilation at the resumption of building work on the Cathedral (1842)
Festivités pour la reprise des travaux de la cathédrale (1842)

1823
Der verrohte Kölner Karneval wird reformiert. Ein festordnendes Comitee wird gegründet, Vorläufer des heutigen »Festkomitees des Kölner Karnevals«.

1839
Die erste Eisenbahn fährt nach Köln.

1842
Karl Marx redigiert als verantwortlicher Redakteur die »Rheinische Zeitung«.

1842
Friedrich Wilhelm IV. von Preußen legt den Grundstein zum Weiterbau des Kölner Doms.

1854
Die Chemische Fabrik Kalk, der erste Großbetrieb der Chemie im heutigen Stadtgebiet, wird gegründet.

1855
Die Einwohnerzahl ist auf über 100 000 gestiegen, sie hat sich in 40 Jahren verdoppelt.

1860
Der Kölner Zoo wird eröffnet.

1861
Eröffnung des Wallraf-Richartz-Museums

1867
Nicolaus August Otto, Erfinder des in Deutz gebauten Otto-Motors (Grundlage für die Motorisierung), erhält auf der Pariser Weltausstellung eine Goldmedaille.

1880
Der Dom ist vollendet.

1881
Die mittelalterliche Stadtmauer wird niedergelegt. Jenseits der Ringstraßen entsteht die Neustadt.

1888
Eingemeindungen in großem Stil schaffen die Grundlage zur Entwicklung einer Großstadt mit moderner Industrieansiedlung. Neu zu Köln kommen große Teile der bis dahin selbständigen Stadt Ehrenfeld und der Gemeinde Rondorf, darunter Marienburg, Zollstock und Bayenthal. Zu Köln gehören nun unter anderem auch Nippes, Müngersdorf, Weidenpesch, Teile von Longerich und Efferen sowie im Rechtsrheinischen Deutz und Poll. Weitere große Eingemeindungen folgen 1914 und 1922, 1975 wird Köln vorübergehend zur Millionenstadt, doch die neben anderen Orten (wie Porz) eingemeindete Stadt Wesseling erreicht vor Gericht, daß sie wieder selbständig wird. Darauf sinkt die Einwohnerzahl unter die Millionengrenze.

1898
Die Kölner Firma Gottfried Hagen baut ein Elektroauto, das erste von 1500 Stück. Die Produktion muß jedoch eingestellt werden, weil es keine flächendeckende Stromversorgung gibt.

1901
Eine Stiftung des Industriellen und Eisenbahnpioniers Gustav von Mevissen ermöglicht die Gründung einer Handelshochschule. Ihr wird bald eine Akademie für praktische Medizin angeschlossen. Bemühungen, die Universität neu zu gründen, scheitern.

1917
Konrad Adenauer wird Oberbürgermeister. In seiner Amtszeit, die bis zur Vertreibung durch die Nationalsozialisten im Jahr 1933 dauert, entwickelt sich Köln durch Eingemeindung zur größten Stadt am Rhein. Unter seiner Regie entstehen unter anderem Grüngürtel, Stadion und die Messe. Er holt den »Reichssender Köln« und die Fordwerke in die Stadt.

1919
Wiedereröffnung der Kölner Universität als städtische Einrichtung. Erst nach dem Zweiten Weltkrieg geht sie in die Trägerschaft des Landes über.

1924
Gründung der Kölner Messe; 1928 erwirbt sie mit der »Pressa« internationalen Ruf.

1931
Der erste Fordwagen läuft in Köln vom Band.

1945
Am Ende des Zweiten Weltkrieges ist die Innenstadt zu fast 90 Prozent zerstört. Im gesamten Stadtgebiet sind nur noch 52 000 von 252 000 Wohnungen unbeschädigt. 30 Millionen Kubikmeter Trümmer müssen geräumt werden.

Oberbürgermeister Adenauer und der französische Minister Heriot bei der »Pressa« (1928)

Mayor Adenauer and the French Minister Heriot at the "pressa" (Exhibition) (1928)

Konrad Adenauer et le ministre français Herriot à la «Pressa» (1928)

Abbruch der Stadtbefestigung (1881)

Demolition of the town fortification (1881)

Démolition des fortifications de la ville (1881)

Nach dem Zweiten Weltkrieg lag Köln in Trümmern

After World War Two, Cologne was in ruins

Après la seconde guerre mondiale, Cologne n'était plus que ruines.

Cologne – pictures of a great city
Cologne – une métropole en images

Cologne - pictures of a great city

At first glance, you may think that if you've seen one big city, you've seen them all. But anyone who is prepared to make the effort to look behind the facade will soon discover the unique aspects and characteristics of a city. That takes very little time in Cologne – after all, Cologne has the Cathedral. Wherever a road turns or a gap appears between tall buildings, the chances are that the Cathedral will come into view – the trademark and unmistakable signpost of the city.

With its height of 157 metres, the Cathedral is no longer the city's tallest building. "Colonius", the Post Office Tower with a height of 243 metres, outstrips it by far. But it has not become the city's symbol. The Cathedral always has been, and always will be. It has a firm place in the hearts of the people of Cologne. And yet, they dislike their home city being referred to as "the Cathedral City". That contradicts their inherently liberal view of life and themselves. They are not "Roman Catholic", but "Cologne Catholic", or so they say, firmly believing that "the Lord above doesn't take it all that seriously and occasionally overlooks what he doesn't want to see", as a high-ranking clergyman once put it. The man who said that was a dean of the cathedral, chairman of the board, as it were, of the largely independent "cathedral company", where even the Cardinal has to ask for an appointment if he wishes to make a visit.

The main worry of this "company", the cathedral chapter, is the preservation of the church, particularly the constant battle against environmental damage. "The Cathedral will never be completed" is an old Cologne saying. And yet, it is many centuries old.

The foundation stone for the Gothic cathedral was laid in 1248 (a date that every school-child remembers easily, as it starts with the smallest number and keeps doubling itself). Work was stopped in 1560. For almost 300 years, the symbol of the incomplete building was a wooden crane, a technical marvel of its day. The Prussian king, Friedrich Wilhelm IV, laid the foundation stone for continuing the work in 1842, and the construction was completed in 1880.

Even though the king was committed to completing the cathedral, the people of Cologne had a fairly poor opinion of the Prussians. They were not at all happy with the fact that, since the Congress of Vienna in 1815, they had been the subjects of this upright, thrifty and, on top of that, protestant bureaucracy. But the other side also had its reservations: Prussia was not particularly interested in developing this major city on the Rhine.

Cologne still has its problems with a gift dating back to that era: it was at the express wish of His Majesty that the first railway bridge in Cologne led across the Rhine directly to the cathedral and that the central station was built directly alongside the cathedral. Ever since then, the railway embankment carrying the tracks across to the left bank of the Rhine has cut through the city centre and obstructed many a major planning project.

But, as so often, the people of Cologne found a way of turning this vice into a virtue. The slogan "Culture with rail connection" serves to indicate the close proximity of the new domicile of the old treasures of the Wallraf-Richartz Museum and the contemporary art of the Ludwig Museum, opened in 1986 in the area between cathedral and Rhine. This complex also includes an underground concert hall, the Cologne Philharmonia. The square above, opening out onto the Rhine gardens, bears the name of the winner of the Nobel Prize for Literature and honorary citizen of Cologne, the late Heinrich Böll.

The fact that, from the very start of the planning phase, the modern museum building was hotly debated in Cologne, highly praised by some and harshly criticized as "disfiguring the whole cathedral area" by others, is true to Cologne tradition. Anything new is always criticized first. For example, the red-brick buildings of the trade fair grounds, built under Konrad Adenauer in 1924, were first ridiculed and slandered as being ugly in the extreme. Today, they are under protection.

Apart from that, Adenauer's idea of the trade fair has borne rich fruits. Cologne trade fairs hold leading positions in the world in various sectors, such as photography and its related areas, furniture or food and luxury goods. Exhibitors, visitors and the numerous investments of the Trade Fair Company guarantee the economic region around Cologne an income of some 1,000 million Deutschmarks per year.

The trade fair city Cologne is also a hotel city. The traditional houses of long-standing reputation have been joined by hotels belonging to most of the major worldwide chains. Their commitment is based on expert reports which confirm that Cologne attracts visitors not only as an economic centre, but also as a city of culture. In addition to the museums, almost one hundred galleries, major art fairs and auctions attract countless visitors to the city. According to the experts, Cologne compares very well with such cities as London, Paris and even New York when it comes to the fine arts.

The mediaeval churches in Cologne are also a major attraction. In 1985, 40 years after the end of the War, their restoration had progressed to such a point that the city and the archdiocese declared the "Year of the Romanesque Churches". The idea was a resounding success.

Nowhere else than in Cologne can you find such a wealth of Romanesque churches – 12 major ones in the city centre and a number of minor ones which are equally worth visiting. That is partly due to the fact that Cologne was caught in an economic crisis in the late Middle Ages, at a time when old churches were being torn down elsewhere and replaced by new buildings (particularly during the feverish building activity of the Baroque era). In addition, Cologne also started to dispute the wordly power of the archbishops at an early stage. After losing the battle of Worringen (1288), the prince of the Holy Roman Church was forced to move his residence out of the city. The result was that Cologne was subsequently not endowed with such splendid buildings as residences.

In the days when Cologne was at the height of its success, when business links with all Europe, particularly England, made the city rich, protection against enemies was indispensable. Work on the mediaeval city wall began in 1180, making the city invincible. It was torn down in 1881; the population had risen to 100,000, the people needed space. The new city developed on the other side of the wall, beyond the broad boulevard of the ringroads. Many of the four and five-storey houses of middle-class citizens built at that time fell in dust and ashes during the War; those that survived were carefully restored under the pressure, sometimes gentle, sometimes less so, of the city authorities. Great care is also paid to preserving the remaining secular buildings of the Middle Ages.

Three of the main gates in the city wall still stand: the Hahnentor in a sea of traffic, the Severinstor and the Eigelsteintor. The latter two, skillfully integrated into their surroundings, are now the focal points of typical quarters of Cologne. Despite all the rebuilding and renovation, there is still room for the locals there. Attracted by the low rents, foreigners and young people with low incomes move into simple, and sometimes primitively fitted older houses. New or expensively restored buildings, on the other hand, are in great demand among those with a thicker wage packet. Thus, the two city gates have become the

central points of a lively, colourful urban landscape with an interesting population structure, typical pubs, international restaurants in various price categories and a range of goods covering everything from top-quality to second-hand. And the food on sale there is more than slightly reminiscent of a market somewhere in the South of Europe.
As much as the people of Cologne love their city – they live in their quarter. Be it an estate of private homes on the outskirts of the city, where vegetables are grown in preference to a carefully tended lawn, a road somewhere on the edge of the city centre, or the "New Town" which shot up in the North of Cologne during the high-rise euphoria of the '60s, there are clubs and associations, initiative groups and rendezvous everywhere. Celebrations are popular everywhere. Carnival Sunday is a joint day of celebration for all the associations in the individual districts. That day, they all meet for a procession through the city centre: with festival wagons, which they have built themselves without any financial assistance from the city (such as that paid for the official Shrove Monday procession). The participants work for months on their costumes and their humorous wagons, most of which ridicule the city and the times in general. Countless school-children also take part – some just about to leave school, some who have only just started. And the sons and daughters of Cologne's foreign inhabitants demonstrate particular enthusiasm: like so many others in the past 2,000 years, they too have been caught in the great "people-mill on the Rhine" described by Carl Zuckmayer in his drama "Des Teufels General".
On the other hand, Cologne, the city of joyful festivals, Carnival and good living, has never been afraid of hard work. Today, the economic centre Cologne is of particular importance for the motor vehicle industry, apparatus and mechanical engineering, major chemical companies, the insurance sector and the media; the city is the home of major book and newspaper publishers, and no other city in Europe has so many radio and TV companies as Cologne. Cologne is also one of Europe's major cities of higher education. The University alone has 50,000 registered students. The city was a centre of the liberal arts even in the Middle Ages. The Dominicans established their "general study" here in 1248, whose teachers included Albertus Magnus and Thomas of Aquino. In 1388, Pope Urban IV granted the "humble requests of mayor, judges and citizens of Cologne" and approved the establishment of a university. It was dissolved in 1798 when several professors refused to swear allegiance to Napoleon's troops when they marched into the city. When the occupying forces withdrew in 1814, the Prussians opposed the re-opening of the university. Success was not achieved until 1919, when Konrad Adenauer was Lord Mayor of Cologne.
It was in Adenauer's time (1917 to 1933) that, despite the extremely bad economic situation, a number of developments were achieved which made a decisive mark on Cologne's future. Surrounding towns and villages were incorporated, making Cologne the city with by far the largest area anywhere on the Rhine, the Trade Fair Company was established, the city attracted a radio station, the Ford Motor Company set up its works and a large port was built in Niehl. Adenauer had a way of combining economy and ecology (although without ever mentioning those two words which slip so glibly from the lips of many a politician today). He had two green belts laid around the city, woodlands and parks of inestimable recreational value. Neither lack of money upset him in his plans, nor the protest of numerous farmers who would gladly have used the land and who tried to blackmail the city by stopping milk deliveries.
As already mentioned, Cologne, not being a residency, had no beautifully laid-out parks, but thanks to the dedicated policy of Adenauer and his successors, the city has more than 66 square metres of park per inhabitant. And there are no "Keep off the grass" signs anywhere, except in the Zoo, founded in 1860, where, most of the grass is reserved for the 6,500 animals.
Konrad Adenauer, the first Chancellor of the Federal Republic of Germany after World War II, was a master at putting through his own ideas and winning confederates. In Cologne, people call this cliquishness "Klüngel", a term derived from the Old High German word for "tangle". This type of thing is traditional. This "tangle" was at work as early as Roman times, when Claudius conferred the status of a town on the settlement of the Ubii on the left bank of the Rhine. Claudius did so at the request of his wife, Agrippina minor (the younger), who had been born there as daughter of general Germanicus. Her birthplace thus became a town and was named "Colonia Claudia Ara Agrippinensium". Colonia eventually turned into Cologne, or Köln in German.
This cliquishness occasionally took on bizarre forms in the Middle Ages. Well-to-do families, professional associations (guilds), judges and associations of several guilds battled for power, money and reputation. All these groups no doubt had done great services in freeing the city from the influence of clerical and secular lords, but they also often tried to increase their own influence. And they were not choosy in their methods. The citizen Nikolaus Gülich was beheaded in 1680 after his initially promising attempt to dissolve the supposedly biassed and bribable City Council had failed. In comparison with the Middle Ages, today's cliquishness is harmless indeed. What Konrad Adenauer once said still holds good: "We know each other and help each other". Knowing somebody who can help is no doubt useful, particularly in times when not even the experts know how to reach a decision on everything. Not only in Cologne – but at least they have a name for it there: "Klüngel".

Outlook

(for the illustrations on pages 158/159.)

If a modern city is to remain alive it has to be as much concerned with improving the quality of life of the people who live there as with the needs of its economy. New developments and new demands call for constant change.
Cologne too is changing. Thanks to the construction of underground tramways in the city centre it has become possible to convert a considerable part of the ring road which surrounds the city centre into a boulevard with wide pavements, pools and rest areas. In the immediate vicinity an old section of the city known as the "Friesenviertel" is being re-planned and newly designed with the aid of private capital. The 200 000 square metre terrain of the former goods station of Gereon is to be transformed into a "Media Park". Here, on this centrally situated site there is space for the most varied kinds of enterprise in the field of communications such as radio and television studios, editorial and publishing offices or for the headquarters of other sources of data and information. In fact there is no limit here to the imaginative powers of the investor.
Such imaginative powers have also been proved by the company which has acquired a group of buildings in the city centre where, as a major financial investment, the construction of a further shopping centre is planned which is to be called the "Olivandenhof" after an historic local building. The new shopping centre adjoins the city centre pedestrian precinct. The highlight of the scheme is a glass roof covering part of Zeppelinstrasse. And finally mention must be made here of the 1,300 rooms and suites being provided by a number of modern

luxury hotels. In addition to the traditional top class hotels that have existed here for many years there will now also be those of such international chains as Hyatt, Ramada, Maritime and Holiday Inn with the Crowne Plaza.
Investments to the tune of billions of Deutschmarks only a small number of which can be mentioned here are proof of the confidence in the attractions and the economic power of the city of Cologne. The city is changing and can look forward to a great future.

Wallraf-Richartz Museum

The Wallraf-Richartz Museum, which has had a new home between Cathedral and Rhine since late Summer 1986, is one of Germany's great art galleries. Ferdinand Franz Wallraf, canon, professor of theology and last dean of the first University of Cologne before its closure by the French, was the founder of the collection. His "Wallrafianum" included various works of art of all kinds: altarpieces, sculptures, Roman antiquities, valuable books, glass, coins, priceless prints, objects from the fields of botany, archaeology and the history of art. Some of the material he collected had simply become ownerless property after secularization in or around 1803. Many of the items from Wallraf's collection can today be seen in other Cologne museums.
As specified in his will, the collection passed to the City of Cologne after Wallraf's death. The inheritance included 1,616 paintings, 3,875 drawings and 42,419 prints. Wallraf was not only an expert collector, but a passionate one as well. Decades passed before a suitable building was provided to house the collection and other art treasures belonging to the city. It was in 1854 that Johann Heinrich Richartz, a leather wholesaler, donated the sum of 100,000 Talers to his home town to build a museum. The foundation stone was laid in 1855 in the presence of the King of Prussia. When the money proved to be insufficient, Richartz donated another 100,000 Talers. The building was completed in 1861 and destroyed during World War II. However, the art treasures, to which various additions had been made by purchases and numerous donations by wealthy Cologne citizens, had been taken to a safe place beforehand. A new museum was built on Wallrafplatz square between 1951 and 1957.
Stephan Lochner's "Madonna im Rosenhag", Dürer's "Pfeifer und Trommler", Rubens' mythological painting "Juno and Argus", a late self-portrait of Rembrandt, works of Italian masters, French baroque paintings or Murillo's "Saint Francis in the Portiuncula Chapel", paintings of Cologne-born Wilhelm Leibl, or by Cézanne, Renoir, Monet and van Gogh are just a few of the treasures on which the reputation of the Wallraf-Richartz Museum is built. There is also an important collection of sculptures and the collection of prints includes drawings by Dürer, Raffael and Leonardo da Vinci.
The new building between Cathedral and Rhine houses not only the Wallraf-Richartz Museum, but also the Ludwig Museum, the Cologne Philharmonic Hall, parts of the art and museum library (as a public art library), the Cologne Cinemathek (a kind of municipal cinema showing films on selected topics) and the Agfa Foto-Historama. The latter is on show in the exhibition rooms connecting the Wallraf-Richartz Museum and the Ludwig Museum, thus reflecting the historical position of photography. The Foto-Historama is a major international collection of photographs (mainly 19th century), caricatures, documents and cameras. Together with the photograph collection of the Ludwig Museum (20th century), the new museum building thus houses the complete history of photography, from its birth to the present day.

Ludwig Museum

The Ludwig Museum shares its new home between Cathedral and Rhine with the Wallraf-Richartz Museum. Private patronage has made its mark on this museum as well. It is thanks to the generous donation of Professor Peter Ludwig, honorary citizen of the City of Cologne, and his wife Irene that this museum can offer an almost unrivalled comprehensive survey of the art of the twentieth century. It is one of the world's leading museums in this field.
Soon after 1945, Cologne-born Josef Haubrich (the square by the art museum in the city centre bears his name) donated his collection of modern art to the City, including numerous works which had been banned as "degenerate art" by the Nazis, but which he had managed to save.
The collection, numerous additions to which were funded by the City in the course of the years, ranges from the classic artists of the twenties to very recent works which, according to a museum publication "we still find difficult to understand; but one of them may perhaps be tomorrow's Picasso".
German expressionists, such as Kirchner, Heckel, Nolde and Barlach, together with paintings by Picasso, Chagall, Braque, Matisse, Beckmann, Ernst, Klee and Arp form the basis of the art of the sixties, pop art and its predecessors. Cologne's Ludwig Museum is the home of what is probably the largest collection of works by Jasper Johns, Rauschenberg and Oldenburg, who are joined by other Americans, such as Warhol, Lichtenstein and Wesselmann. The collection is rounded off by a collection of prints and an internationally renowned collection on the photography of the 20th century. A collection of artistic videos is planned for the future.

Roman-Germanic Museum (Römisch-Germanisches Museum)

The Roman-Germanic Museum stands on the walls of a Roman villa containing the world-famous Dionysus mosaic. When it was opened in 1974, the museum attracted much attention and great interest among the public, not only in Cologne. Almost 10 million visitors were counted in the first ten years. The unusual design of the museum itself is no doubt one of the reasons for this success: large windows on the side facing the Cathedral square give a round-the-clock view of the Dionysus mosaic and the imposing tomb of the Roman legionary Poblicius. Roman relics are posted around the museum building. The interior is designed in such a way as to invite the visitor to a leisurely stroll through history. Detailed information on individual aspects is available for anyone with a desire to know more. The sophisticated didactic information system tempts you to lend an ear.
Archaeological gems and everyday articles give a vivid impression of Roman times and the early history of the area in and around Cologne. The museum, which is also a place of research and the archives for our archaeological heritage, is also the home of numerous finds from the earliest days of mankind. This Cologne museum exhibits the largest collection of antique glass vessels, including a precious "diatreta" glass. The head of Emperor Augustus, almost as small as a miniature, is a particularly attractive piece. The treasure-room contains jewelry and ornaments from the early periods after the migration of the peoples. No other museum in Western Europe has such a large collection of jewelry of equestrian nomads.
One section characteristic of the concept of this museum gives an impression of everyday life in the Roman town. The vis-

itor almost feels like a guest in a Roman villa, for example in a kitchen or a dining room, where the finds are displayed in the way they were formerly used.

Cologne Municipal Museum (Kölnisches Stadtmuseum)

One section of this museum, which was re-opened with a new concept in 1984 after conversions, is entitled "As far as we can remember". It documents recent history in newspaper pages, presents a collection of material from the post-war period, the "Third Reich", the time when Konrad Adenauer was Lord Mayor and World War I. Here, and at many other points in the museum, the visitor can find things which were part of everyday life not so long ago, but which have disappeared from the scene today. What was modern yesterday is history today.
Another section shows what visitors consciously or unconsciously associate with Cologne: Eau de Cologne, perhaps, or carnival, special glasses for a special beer called Kölsch, an old-timer originally manufactured and now lovingly restored by Ford in Cologne, or the Hänneschen-Theater, the oldest German-speaking puppet theatre.
Suddenly, memories turn into history. Models, pictures, everyday articles, works of art and documents show what Cologne used to be like. They recall the heyday of the city in the Middle Ages and its economic decline and fall. The self-assuredness of Cologne's inhabitants is documented, their conflicts with clerical and temporal masters, their civil municipal constitution, but also the cliquishness for which they are so (in)famous. And wherever possible, this museum shows how people used to live in Cologne, mainly the rich – the poor left few traces.
The Municipal Museum always has something new to show. A good example is the collection of old gramophones and talking machines recently donated to the museum. Special exhibitions are also staged, usually to mark outstanding days in the history of the city, and the gallery of "Heads of Cologne" is joined by new members all the time.

Schnütgen Museum

This museum probably has more atmosphere than any other in Cologne. The building and the exhibits form an entity: the Schnütgen Museum of mediaeval art, which in fact covers the entire period from the end of antiquity to the 19th century, has been housed in the Romanesque Church of St. Cecilia since 1956. The furnishings are transparent, thus preserving the feeling of spaciousness in the 12th century basilica.
The museum dates back to a donation made by the canon of Cologne Cathedral, Wilhelm Alexander Schnütgen, in 1906. Having become a priest in 1866 and being called to Cologne Cathedral as a chaplain, he spent much of his time combing the Cologne area and adjacent regions as far afield as Westphalia and Lower Saxony in search of hidden treasures. He found them in churches and private homes. The experienced, almost fanatical collector received many high honours: he became honorary doctor in Louvain, professor in Bonn and honorary citizen of the City of Cologne. Museum directors, such as Fritz Witte, Hermann Schnitzler and Anton Legner, had a winning way with patrons and sponsors, who helped steadily to increase the museum's treasures.
Thus, the museum today offers a wide-ranging survey of mainly the Christian aspects of the history of mediaeval art and culture. The focal points of this Rhenish treasure-house are Romanesque sculptures and Gothic Cologne madonnas, goldsmiths' works of art and precious fabrics, ivory carvings and glass paintings, liturgical requisites and everyday items. The function of the objects in relation to the religious life of the Middle Ages is clear to see.
Essential phenomena are illustrated, such as the change in the concepts of sculptural design, the role of liturgical requisites, which reflects the value of the material, the significance of sacred books and their trimmings, or the worship of relics and its consequences. The major special exhibitions staged by the Schnütgen Museum are famous and a magnet for visitors from near and far.

Treasury of the High Cathedral Church (Schatzkammer der Hohen Domkirche)

The treasury of the High Cathedral Church of Cologne is housed in two bays of the Eastern nave aisle of the Cathedral. The entrance is in the Northern transept.
The treasury is not a museum in the normal sense of the word, even though the objects are displayed in the form of a museum. It is more the "safe" of the Cathedral sacristy. Everything on display there is, or was, used in church services. The treasures reflect a major part of the changing history of the Cathedral. The oldest items have been in the Cathedral's possession for over 1,000 years. Documents show that the treasury used to contain a lot more than it does today. Events and occurrences caused the inventory to grow and shrink at different stages in its history. What the visitor can view today is the little that has remained after countless interventions and thefts in the course of the centuries. It is both important and precious. The treasures include sacred implements, chalices, monstrances, reliquaries, liturgical robes, manuscripts and the silk fabric from the bones of the Three Kings (2nd/3rd century).

Archepiscopal Diocesan Museum (Erzbischöfliches Diözesan-Museum)

The Archepiscopal Diocesan Museum holds a rank of its own. Whereas the other museums in Cologne concentrate on specific subjects, this ecclesiastical museum displays objects from all walks of Christian religious life. When a Christian Art Society was founded in 1853 under suffragan bishop Baudri, Cardinal von Geissel approved the establishment of a Diocesan Museum. After Ferdinand Franz Wallraf's collection, this is the second oldest museum in Cologne. It was opened in 1860, and an order of the Royal Cabinet gave the museum the status and rights of a legal person. It remained in its original home until the building was destroyed during World War II. The greater part of the exhibits was rescued from the bombs, and in 1972 the museum's treasures were again put on display in a new building in the direct vicinity of Cologne Cathedral.
Figures and furnishings from the Cathedral are, therefore, important elements of the collection, such as the apostle from the St. Peter's door, prophets and angels, sculptured madonnas, gargoyles and capitals. These objects, most of which are made of chalky sandstone, are artistically and culturally valuable and have thus been saved from further weathering and preserved for future generations.
In addition to great paintings and sculptures, the museum also displays objects relating to Christian archaeology, architecture, arts and crafts and devoutness of the common people. The museum's exhibits thus add up to a history of Christian culture. Important research work is conducted in and in cooperation with the museum. Which is why not only the layman delights

in the beautiful and precious exhibits on display – scientists and other visitors with a keen interest in this field can also profit from the knowledge obtained in Cologne.

Museum of Applied Art

(Founded in 1888 as an arts and crafts museum)

The Museum of Applied Art which was founded in 1888 as an arts and crafts museum, is one of the oldest museums in Cologne. It was founded by local citizens, one of its aims being to put new life into the arts and to educate public laste. A comprehensive reference library and a collection of ornamental engravings were also intended to serve this end.

In the course of the years the museum's objectives changed: it began to cater for the tastes of a wider public, for example by including a major collection of ceramic art, divided into sections for stoneware, majolica, fayence and porcelain, a large collection of glass and collections of textiles and furniture. Rooms were historically furnished to give visitors an impression of the styles of living in bygone days. The museum displays European arts and crafts from the Middle Ages to the present day. Art Nouveau, for example, is extensively documented.

The people of Cologne always used to donate private collections and heirlooms to the museum. There was a constant increase in its range of exhibits. The contents of the museum were removed in such good time in World War II that practically nothing was lost. The museum building, however, a donation of the industrialist Otto Andreae, and completed in 1900, was reduced to ashes.

After the end of the war, the Arts and Crafts Museum was temporarily housed in the renovated, historic "Overstolzenhaus" in the old part of Cologne. The building was so small that not even the most important and attractive exhibits could be permanently displayed. But the older works as well as modern trends were presented to the public again and again.

When the new building for the Wallraf-Richartz and Ludwig museums was built between the Cathedral and the Rhine, the City Council decided to put the then unoccupied building An der Rechtschule at the disposal of the Arts and Crafts Museum. At the same time the name of the institute was changed to "Museum of Applied Art".

Museum of East Asian Art (Museum für Ostasiatische Kunst)

In the inner green belt, only a few hundred yards away from the edge of the city centre, the visitor walks into a strange, new world. In front of green slopes, directly alongside the Aachener Weiher lake lies the Museum of East Asian Art, designed in 1966 by Kunio Mayekawa, one of Japan's most famous architects, and opened in 1977. The low-profile building clad with brown bricks fired in Japan blends into the surrounding landscape. Large windows afford a view of the silhouette of the city beyond the lake or of an attractive Japanese garden.

A Museum of East Asian Art, the first in Europe, was opened in Cologne as long ago as 1913. It was Professor Adolf Fischer, an ardent collector, and his wife Frieda, who persuaded the city authorities to set up this museum, having failed in similar efforts in Berlin and Kiel. Up to that time, Chinese, Japanese and Korean works of art had mainly been exhibited in museums of arts and crafts or ethnology.

On a journey round the world, Adolf Fischer and his wife reached East Asia and stayed there for many years. In the course of their adventurous life in Japan and China, the couple developed detailed specialist knowledge – which also protected them against crafty dealers and skilful forgers.

Among its treasures, the museum can boast a unique collection of wooden buddhist sculptures, magnificent ceramics, lacquer work, textiles, prehistoric and primitive finds, as well as selected prints. It also has probably the best library on the archaeology and history of art of East Asia in the whole of the Federal Republic of Germany.

The works of art, as attractive as the visitor may find them, are (as the Museum Director once said) "written in a foreign language". The museum therefore attaches particular importance to guiding the visitor and explaining the individual exhibits as he goes.

Rautenstrauch-Joest Museum

This museum, the Museum of Ethnology, is also the result of private patronage. It owes its origin to the ethnologist, globetrotter and journalist Professor Wilhelm Joest and Adele and Eugen Rautenstrauch. The latter not only donated their own collections and those left to them by Wilhelm Joest after his death on an expedition, but also provided the money to build a museum on the Ubierring at the turn of the century. This building, which was reconstructed using old material in 1967 after being damaged in the war, still houses the museum today.

However, the exhibition concept has changed. More than in the past, the museum tries to create understanding and respect for non-European peoples and cultures, many of which do not have a written language. Its aim is to show that they are no less important than our "technical" civilization and to cast a critical eye on the aspects of our way of life by comparing ours with other cultures. With some 60,000 exhibits, the museum, which was opened in 1906, is one of Germany's largest museums of ethnology and the only one of its kind in North Rhine-Westphalia.

Among the displays are exhibits illustrating the cultures of the African continent, including artistically outstanding insignias, such as the pearl throne of a king from Cameroon, of pre-Columbian America, for example old Peruvian goldsmiths' work, or of the North American Indians. The latter exhibits impressively document the Indians' understanding of ecology, their religious concepts and their current situation. The Indonesia collection, with figures of forebears and spirits, as well as the complete outfit of a shaman, is worthy of special attention. The Far East and Pacific regions are documented in depth, as is South Asia.

The museum succeeds time and again in impressing the public and its numerous sponsors with such events as special exhibitions or concerts of non-European music played by musicians from the individual countries.

The Käthe Kollwitz Museum

The Käthe Kollwitz Museum is the latest museum to be founded in Cologne and is one of the few museums in the Federal Republic of Germany to be devoted to the works of a single artist. It was opened on the 40th anniversary of Käthe Kollwitz's death in 1985 and provides the visitor with a comprehensive display of her works. Today it contains 135 drawings, 180 graphic and 15 bronze works and is thus probably the largest collection of Kollwitz works in the world.

The foundation of the collection is formed by a file of her drawings. Cologne has some wonderful and exemplary folios from all artistic periods: early intimate pen-and-ink drawings, draft sketches for some notable prints which enable the viewer to reproduce in his mind the working process. There are also some very expressive charcoal drawings dating mainly from the later phase of her creative life, nudes and love scenes of whose existence nothing was known during the artist's lifetime which Käthe Kollwitz herself described as some of her best drawings. In addition there are many death scenes of which the Cologne collection also includes some impressive examples and they are among the most moving works ever artistically created on this theme.

Artistic light and shade effects of the early period merge in the course of her creative work into a free and powerful stroke of charcoal and chalks leading to the lithographies of the 1920s and 1930s.

Käthe Kollwitz became famous for her prints which she created in cycles partly in the tradition of Goya and Klinger. The early cycles: the "Weavers' Revolt" created under the impression of Hauptmann's drama "The Weavers" and "Peasants' War", are proof of the artist's classic mastery in her handling of the etching needle and the lithography chalk. In addition to the two expressive cycles of wood carvings – "War" and "Proletariat" from the 1920s, the late sequence – "Death" forms the grand finale as it were. The print part of the collection is rounded off by some notable individual folios of the now so well-known yet extremely rare Kollwitz posters.

Here sculptural work in so far as it is on display in museums, can be seen in some particularly beautiful early castings. Predominating here we find as in the graphic creations, not only works on the theme of war and death but also on the Mother and Child motif.

Scientific access to the Kollwitz works is made possible by special exhibitions held every six months dealing with artists and themes showing some kind of connection with the Kollwitz works, by a special library now being created and by a collection of films.

And so with this Käthe Kollwitz museum a new cultural attraction has been created in the city centre of Cologne; 800 m² of office space in the main building of the Kreissparkasse in the Neumarkt have been made available for the museum. In the late autumn of 1988 the museum will move to a permanent site in the immediate vicinity.

Historical Dates

7000 B. C.
A stone axe discovered in Brück, a locality on the right bank of the Rhine as well as other prehistoric finds testify to early settlements in the Cologne area.

38 B. C.
Founding of the "oppidum Ubiorum". The Ubiers living here had been re-settled by the Romans from the right to the left side of the Rhine.

50 A. D.
The Emperor Claudius fulfils the wish of his wife Agrippina minor, daughter of the military commander Germanicus and awards civic rights to the Ubier settlement where she had been born and gave it the name Colonia Claudia Ara Agrippinensium (CCAA). Colonia subsequently became Cologne.

313
Mention is made for the first time of a Christian bishop, Maternus, from Cologne. Just how long there has been a Christian community in the city is not known.

321
The Emperor Konstantin grants certain privileges to the Jews, one of them being the right of election to the city council.

about 800
Charlemagne declares Cologne an archbishopric. From 1028 onwards the Archbishop of Cologne has the right to crown the German king in Aachen.

1074
Cologne merchants rise up against Archbishop Anno and drive him out of the city. But he returns and brutally crushes the revolt.

1149
Cologne Town Hall is mentioned for the first time. At that time it already stood on its present site.

1164
Archbishop Rainald von Dassel brings the mortal remains of the Magi from Milan to Cologne.

1248
Laying of the foundation stone for the building of the Gothic Cathedral.

1248
Dominican monks set up a "General Study Centre" in Cologne – the forerunner of Cologne University.

1259
Cologne receives stapling rights. Merchandize transported on the Rhine have to be transshipped in the city and Cologne merchants have the right of first option.

1288
Battle of Worringen. The secular power of the defeated Archbishop is considerably restricted.

1388
Pope Urban IV grants permission for the founding of a university.

1396
In a "compound charter" a city constitution is laid down making the right of citizenship dependent on membership of a guild (professional organization). The council is elected by the 22 corporations (social unions of the guilds).

1396
First mention of the top-fermented beer (Kölsch) brewed in Cologne.

1437–1444
Construction of the Gürzenich, the city's dance and festival hall. (It was one of the first public buildings to be rebuilt after World War Two.)

1475
Cologne becomes a Free Reich City. Frederick III signed the Charter of Privileges and released Cologne from the obligation to pay homage to the archbishops. In 1474 the Emperor had already granted the city the right of coinage "for all time".

1709
Johann Maria Farina started production of "aqua mirabilis" which, as "Eau de Cologne" became world famous.

1794
Napoleon's troops marched into Cologne. In 1801 they make the city a part of France.

1797
The Protestants in Cologne who, until then, had been discriminated against are allowed to acquire citizenship. In 1802 they received their first church in Cologne.

1798
The Jews who had also been frequently persecuted in Cologne, return to the city.

1798
The French close the university down after a number of professors had refused to take the oath of loyalty to France.

1814
After 20 years of rule, the French leave the city.

1815
Under the terms of the Congress of Vienna Cologne passes to Prussia.

1823
Cologne Carnival which had deteriorated, is reformed. A permanent Committee was formed – the forerunner of the present "Festive Committee Cologne Carnival".

1839
The first railway comes to Cologne.

1842
Karl Marx becomes chief editor of the Rheinische Zeitung.

1842
Friedrich Wilhelm IV of Prussia lays the foundation stone for the resumption of construction work on Cologne Cathedral.

1854
The "Chemische Fabrik Kalk" the first large chemical plant in what is today part of the city, is founded.

1855
The population has increased to over 100,000. In 40 years it has doubled.

1860
Cologne Zoo is opened.

1861
Opening of the Wallraf-Richartz-Museum.

1867
Nicolaus August Otto, inventor of the Otto engine built in Deutz (the foundation of motorization) is awarded a gold medal at the World Fair in Paris.

1880
The Cathedral is completed.

1881
The medieval city wall is demolished. On either side of the Ring streets, the New Town arises.

1888
Large-scale incorporations of outlying areas create the foundation for the growth of a large city with modern industrial settlement. Large parts of what had hitherto been the separate town of Ehrenfeld and the community of Rondorf were incorporated into the city of Cologne. This incorporation included the districts of Marienburg, Zollstock and Bayenthal. Among the areas now forming part of Cologne were Nippes, Müngersdorf, Weidenpesch, parts of Longerich and Efferen as well as Deutz and Poll on right side of the Rhine. As a result of further major incorporations in 1914, 1922 and 1975 Cologne temporarily becomes a city with a million inhabitants. But the town of Wesseling which alongside others (like Porz) had been incorporated, obtains a court order restoring its independence. This brings the population figure down again to below the one million mark.

1898
The Cologne firm of Gottfried Hagen build an electrocar, the first of 1,500. But production was stopped owing to the absence of widespread electricity supplies.

1901
An endowment by the industrialist and railway pioneer Gustav von Mevissen enables a commercial training college to be founded. Soon afterwards this is followed by an Academy for Practical Medicine. Efforts to found a new university fail.

1917
Konrad Adenauer becomes Lord Mayor. During his term of office which was ended by the National Socialists in 1933 Cologne became the largest city on the Rhine as a result of the incorporation of numerous outlying districts. It was under Adenauer's regime that the Green Belt, the Stadium and the Trade Fair buildings were constructed, to mention only a few. He was responsible for the radio station and the Ford motor works being established in Cologne.

1919
Reopening of Cologne University. It was municipal institution and was only taken over by the Land North Rhine Westphalia after World War Two.

1924

Founding of the Cologne Trade Fairs. In 1928 the "Pressa" fair made them world famous.

1931
The first Ford motorcar comes off the assembly line in Cologne.

1945
At the end of World War II almost 90 per cent of the city centre was destroyed. In the entire municipal area only 52,000 out of a total of 252,000 houses are left undamaged. 30 million cubic metres of rubble have to be cleared away.

Cologne – une métropole en images

A première vue les grandes villes se ressemblent toutes. Mais celui qui cherche à regarder derrière la façade, aura vite découvert le caractère unique de chaque ville, ses particularités. A Cologne cela se fera en un clin d'oeil, la cathédrale y veille. Il suffit d'une courbe de rue, d'un créneau entre les grands immeubles pour que le visiteur aperçoive la cathédrale, un signe et un repère de marque.

Avec ses 157 mètres de haut la cathédrale ne domine plus la ville. C'est la tour des P.T.T. qui est passée au premier rang avec une hauteur de 243 mètres. Elle n'est pas pour autant devenue l'emblème de la ville. Cet honneur, les Colonais l'accordent indiscutablement à leur cathédrale aimée. Ils n'apprécient cependant pas l'appellation «Domstadt», ville-cathédrale, puisque dans leur libéralisme inné ils se considèrent comme «colonais-catholiques et non comme des romains-catholiques; ils ont confiance en ce que le Seigneur fermera les yeux, à l'occasion, sur ce qu'il ne veut voir de trop près». Celui qui décrit ainsi ses concitoyens était prieur, en quelque sorte président de cette entreprise quasi autonome qu'est la cathédrale. Même le cardinal doit lui demander l'autorisation, s'il veut visiter la cathédrale.

Le majeur souci du chapitre de la cathédrale, c'est le maintien de l'église, la lutte permanente contre les dégats que crée la pollution. «La cathédrale ne sera jamais finie», c'est un dicton colonais vieux de quelques siècles.

1248 – une date que les élèves retiennent facilement: elle commence par le chiffre infime, suivi à chaque fois par le chiffre doublé, en 1248 la première pierre de la cathédrale gothique fut posée. En 1560 les travaux furent suspendus. Près de 300 ans une grue en bois, une merveille technique à l'époque, restait le véritable emblème de la ville, à côté d'un édifice inachevé. En 1842 Frédéric Guillaume IV, alors Roi de Prusse posa la première pierre pour la poursuite des travaux. En 1880 l'édifice sacré fut achevé.

Le Roi, certes, s'entremit pour que la cathédrale fut terminée, sa sympathie pour les Colonais était cependant fort limitée. Les Colonais de leur côté n'appréciaent guère d'être, suite au congrès de Vienne en 1815, les sujets d'un état de fonctionnaires corrects, mais parcimonieux à leurs yeux, puis, ce qui plus est, avec une nette prédilection pour le protestantisme. Les réserves étaient manifestes de part et d'autre; la Prusse se souciait fort peu de développer cette importante ville sur le Rhin.

La ville assume encore aujourd'hui les séquelles d'un don royal de l'époque. Selon la volonté expresse du Roi, le premier pont des chemins de fer sur le Rhin devait mener à la cathédrale, la gare centrale être érigée à deux pas de l'édifice sacré. Ce fut fait. Depuis lors la chaussée reliant au centre la rive gauche coupe en deux la ville; une généreuse urbanisation ressemble alors parfois à la quadrature du cercle.

Une fois de plus les Colonais ont su faire de nécessité vertu. Le slogan de la ville «culture embranchée sur chemin de fer» indique la proximité de deux musées importants dans cette zone cathédrale-Rhin: le musée Wallraf-Richartz pour les trésors des temps passés, puis le musée Ludwig pour l'art contemporain. Fait partie de cet immense édifice une salle de concerts souterraine, la Philharmonie de Cologne. La place qui, dessus s'ouvre sur le Rhin porte le nom de Heinrich Böll, prix Nobel de littérature et citoyen d'honneur de la ville.

L'édifice des musées était controversé, dans la meilleure tradition de la ville, dès la présentation des plans. Cris d'horreurs et acclamations – toute innovation à Cologne est d'abord vivement critiquée. Ainsi les édifices en briques du Salon de Cologne, achevés en 1924 sous l'administration de Konrad Adenauer, furent alors hués pour leur laideur; aujourd'hui ils font partie des monuments protégés.

Cette idée qu'eut Adenauer de fonder un Salon permanent dans la ville, a porté ses fruits. La Foire de Cologne est en tête de liste dans maint secteur industriel: la photographie et ses annexes, l'ameublement, puis l'alimentation. Exposants, visiteurs et l'entreprenante Association de la Foire assurent annuellement à la région des rentrées de près d'un milliard de deutschmarks.

Cologne, ville des salons est aussi une ville des hôtels. Aujourd'hui on trouve à côté des noms traditionnels de nombreux hôtels des chaînes internationales. L'investissement hôtelier se fonde sur des devis qui confirment l'attractivité de la ville comme centre tant économique que culturel. Près de cent galeries, d'importants salons d'art, les musées de la ville attirent régulièrement de nombreux visiteurs. Dans le secteur des Beaux-Arts Cologne irait au pas, disent les experts, avec Paris et Londres, même avec New York.

Un autre attrait de taille dans Cologne: les églises médiévales. En 1985, 40 ans après la fin de la guerre, leur restauration avait tant progressé que la ville et l'archevêché proclamèrent l'année des églises romanes – le retentissement était foudroyant.

Ce n'est qu'à Cologne que le visiteur trouvera une telle concentration d'églises romanes – douze, importantes au centre, puis quelquesunes, plus petites, mais tout de même remarquables. La raison en est la grande crise économique qui harcelait la ville vers la fin du Moyen-Age. Ailleurs, on démolissait les vieilles églises pour les remplacer par des nouvelles, surtout du temps du baroque où l'on en construisait à coeur joie. Puis la ville de Cologne se mit tôt à disputer le pouvoir aux archevêques. Après avoir perdu la bataille de Worringen (1288) le prince de l'Eglise dut quitter la ville et établir sa résidence ailleurs. Ainsi Cologne n'eut pas dans son enceinte de somptueux édifices comme ce fut le cas des résidences importantes.

Cologne prospérant – la ville entretenait des relations commerciales avec l'Europe entière, mais surtout avec l'Angleterre – il fallait penser à se préserver de potentiels aggresseurs. C'est à partir de 1180 que l'on érigait l'enceinte médiévale qui rendait la ville imprenable. En 1881 elle fut démantelée; la population ayant dépassé le nombre de 100.000 habitants, il fallait de l'espace. La nouvelle ville allait voir le jour de l'autre côté de l'enceinte, au-delà du grand boulevard périphérique. Beaucoup des belles maisons bourgeoises que l'on construisait alors à 4 ou 5 étages, furent réduites en cendres durant le bombardement de la dernière guerre. La ville fit pression, tantôt gentiment, tantôt avec insistance, afin que celles qui ont résisté soit restaurées avec amour. La ville veille également au bon entretien des quelques édifices profanes du Moyen-Age.

Trois grandes portes de l'ancien rempart ont pu être conservées: la ‹Hahnentor› qui depuis lors subit tous les jours l'aussaut de la circulation, puis les portes des quartiers ‹Severin› et ‹Eigelstein›. Les deux dernières, habilement intégrées dans l'achitecture environnante, sont devenues un centre dans ces deux quartiers typiquement colonais. Ici les mesures d'asainissement n'ont pas chassé les gens du quartier. Des loyers modérés attirent étrangers et jeunes gens aux revenus faibles dans les vieilles maisons simples où le confort fait parfois défaut. Ceux qui en ont les moyens recherchent plutôt les maisons neuves ou somptueusement restaurées. Le ‹paysage› citadin autour des deux portes est par conséquent aussi vivant que bigarré, avec une intéressante structure des habitants, des bistrots originaux, avec des restaurants internationaux de catégories diverses, avec des commerces qui vont de la qualité de pointe à la revente. Puis les denrées alimentaires: un marché méridional ne fait guère mieux.

Les Colonais aiment leur ville, mais ils vivent leur vie dans leur quartier. Que ce soit

dans la verdure de la périphérie avec son verger propre qui est venue remplacer la pelouse classique, dans un pâté de faubourg ou encore dans ces tours de la «Neue Stadt», de la ville-neuve au Nord de Cologne, une expression de l'euphorie des années soixante et du début des années soixante-dix. Les clubs, les associations, les initiatives privées, les rencontres – on trouve facilement une raison de faire la fête. Un jour de fête commun à tous les quartiers: le dimanche de carnaval. Tous se retrouvent dans un grand cortège au centre de la ville; avec des chars qu'ils ont construit et mis au point sans les subventions dont jouit le ‹Rosenmontagszug›, le cortège officiel du lundi de carnaval. Des mois entiers ces amateurs ont fignolé leurs chars et leurs costumes pour ‹mettre en boîte› le magistrat tout comme les grands courants du temps. Beaucoup d'élèves y participent, du bachelier au débutant. Et les fils et les filles des étrangers de la ville s'y donnent aussi à coeur joie. Ils sont acceptés, comme tant d'hommes dans les deux millénaires écoulés, dans ce «grand moulin des peuples» sur le Rhin, que l'écrivain Carl Zuckmayer a dépeint dans sa tragédie «le général du diable».
Dans cette Cologne des joyeuses fêtes, du carnaval et de la joie de vivre on a cependant toujours su ‹mettre la main à la pâte›. Aujourd'hui cette région industrielle et économique compte surtout dans les secteurs automobile, construction mécanique, chimie, assurances, puis dans celui des média. Nulle autre ville européenne compte tant de stations de radiodiffusion et de télévision. Cologne est aussi une des importantes villes universitaires d'Europe. Plus de 50.000 étudiants y sont inscrits. Déjà au Moyen-Age la ville était un fief des sciences humaines. C'est en 1248 que les Dominicains y fondèrent leurs «études générales», lesquelles comptaient parmi les professeurs un Albertus Magnus et un Saint Thomas d'Aquin. Dès 1388 le pape Urban IV répondit favorablement «aux humbles sollicitations du maire, des échevins et des citoyens de Cologne et autorisa la fondation d'une université». Elle fut dissoute en 1798, après que plusieurs professeurs avaient refusé de prêter serment aux troupes françaises de Napoléon. L'occupation se terminant en 1814, ce fut au tour des Prussiens de refuser la réouverture de l'université. Il fallut attendre 1919. Konrad Adenauer était alors bourgmestre de la ville.
Sous son administration (1917 à 1933) la ville prit le chemin de l'avenir, bien que la situation économique fût fort mauvaise. L'incorporation communale fit de Cologne la ville la plus grande sur le Rhin, du point de vue de son étendue, on fonda l'association du Salon de Cologne (Messegesellschaft), une radiodiffusion vint s'établir dans la ville, les automobiles Ford s'implantèrent, dans le quartier de Niehl un important port fluvial vit le jour. Adenauer réussissait à marier économie et écologie sans jamais prononcer l'un ou l'autre terme (comme le font aujourd'hui si abusivement les hommes politiques). Il fit entourer la ville de deux ‹ceintures vertes›, des régions de verdure et de forêts hautement appréciées des habitants. Il ne tint compte dans son entreprise ni de la pénurie en matière de finances, ni des protestations de nombreux paysans qui auraient préféré labourer ces étendues et qui pour y arriver, menaçaient même la ville de supprimer les livraisons de lait.
Cologne, rappelons-le, ne jouissait jamais du privilège d'une résidence, n'avait à aucun moment dans son enceinte ces somptueux parcs trahissant la main d'un célèbre paysagiste, mais la ville disposait – le mérite en revient à la politique poursuivie par Adenauer et ses successeurs – de 66 mètres carrés de verdure par habitant. Une verdure qu'on peut piétiner, sauf dans le jardin zoologique fondé en 1860. Là les prés sont surtout réservés aux quelques 6500 bêtes.
Konrad Adenauer, le premier chancelier de la jeune République fédérale après la fin de la Seconde Guerre Mondiale, avait le génie de faire passer ses concepts, de se faire les alliés qu'il fallait. A Cologne on parle alors de «Klüngel», de ‹tapon›, synonyme régional de coterie. Une activité qui a une longue tradition: lorsque Claudius, empereur romain, octroya au bourg ubien sur la rive gauche du Rhin les droits de cité, il y avait déjà coterie, puisqu'il le fit sur demande de son épouse Agrippina minor (la jeune) qui y était née en tant que fille du grand capitaine Germanicus. Son village natal devint ville et s'appelait dorénavant «Colonia Claudia Ara Agrippinensium»; Colonia, Cologne en français, est devenu Köln en allemand.
Au Moyen-Age la coterie entre clans, familles aisées, corporations, échevins et associations économiques interprofessionnelles prenait parfois un caractère déplaisant, lorsqu'on se disputait puissance, argent et rang social. Tous ces groupes avaient, certes, des mérites pour avoir libéré la ville des contraintes tant princières qu'ecclésiastiques, mais ces honorables efforts servaient par trop souvent à accroître le propre crédit. Et on ne se gênait pas: en 1680 on fit décapiter le citoyen Nikolaus Gülich qui avait cru que le moment était venu de dissoudre le conseil de la ville embrouillé dans des histoires de pots de vin et de corruption. L'entreprise échoua. Nulle comparaison avec ce que l'on «trame» de nos jours. Et ce que Konrad Adenauer en a dit, cela compte toujours: «nous nous connaissons, nous nous entr'aidons». Connaître quelqu'un qui peut vous aider, cela paraît fort utile à une époque où même les experts se perdent parfois dans les dédales de l'administration, pas seulement à Cologne, mais ici on a un nom pour cela.

Perspectives

(voir les photos des pages 158, 159)

Une métropole moderne pour rester vivante doit se soucier de la qualité de vie des citoyens, obéir aux impératifs de son économie. L'évolution permanente et des sollicitations nouvelles sont autant de défis qu/il faut relever.
Cologne aussi change; grâce au métro dans la cité une grande partie de la Ringstrasse est aujourd'hui un vrai boulevard, aux trottoirs larges, avec des zones de verdure, d'eau et de repos. Un financement privé permet des mesures d'assainissement et d'urbanisation dans un des anciens quartiers de la ville, le «Friesenviertel»; avec ses 200 000 mètres carrés l'aire de l'ancienne gare des marchandises «Gereon» va devenir un media-parc. Les entreprises les plus diverses du secteur communication pourront ainsi s'installer au coeur de la cité: radio, télévision, journaux, éditeurs ainsi que des centres d'autres systèmes d'information. L'imagination peut s'y développer à coeur joie. Une imagination dont a fait preuve l'entreprise qui a racheté un pâté de maison dans la cité pour y créer, à grands frais, un nouveau centre commercial: «Olivandenhof» selon l'appellation historique. Le nouveau centre est mitoyen de la zone piétonne de la cité. Puis une astuce d'architecte: un toit en verre sur une partie de la rue, la Zeppelinstrasse. Rappelons aussi les 1300 chambres et suites dans plusieurs nouveaux hôtels de la catégorie luxe. Aux meilleurs hôtels traditionnels s'ajoutent dorénavant des chaines internationales: Hyatt, Ramada, Maritim, puis Holiday Inn avec le Crown Plaza.
Les investissements qui comptent par milliards, nous n'en avons mentionne ici que quelquesuns, prouvent l'attrait du dynamisme économique de la ville. Cologne change – les perspectives sont bonnes.

Le musée Wallraf-Richartz

Le musée Wallraf-Richartz résidant depuis fin été 1986 dans le nouvel édifice entre la cathédrale et le Rhin est une des grandes galeries de peinture en Allemagne. Son fondateur: Ferdinand Franz Wallraf, chanoine, professeur de théologie et dernier recteur de l'université avant la fermeture de celle-ci par les Français. Son «Wallrafianum» contenait des œuvres d'art les plus divers: tableaux d'autel, sculptures, antiquités romaines, livres précieux, objets en verre, monnaies, estampes rarissimes, des objets de la botanique, de l'archéologie et de l'histoire de l'art. Vers 1803 il avait déjà réuni une bonne partie des biens qui, après la sécularisation, n'avaient plus de propriétaires. On peut encore voir aujourd'hui de nombreuses pièces du chanoine dans d'autres musées de la ville.

Dans sa dernière volonté Wallraf avait légué sa collection à la ville de Cologne. En faisaient partie: 1.616 tableaux, 3.875 dessins et 42.419 estampes. Outre son érudition Wallraf avait de la passion pour son violon d'Ingres. Il allait se passer des décennies avant que la ville n'ait trouvé un foyer adéquat pour cette collection d'art. C'est en 1854 que Johann Heinrich Richartz, commerçant aisé et négociant en gros dans le cuir, avait fait don à sa ville de 100.000 thalers pour la construction d'un musée. La première pierre fut posée en 1855 en présence du roi de Prusse. La somme s'avérant insuffisante Richartz déboursa d'autres 100.000 thalers. Achevé en 1861 le bâtiment fut détruit pêndant la 2° guerre mondiale. Les nombreuses œuvres d'art, complétées par d'autres acquisitions et de nombreuses donations de citoyens de la ville, avaient pu être mis à l'abri. Entre 1951 et 1957 on construisait sur la place Wallraf un nouveau musée.

«La Madone dans un bosquet de roses» de Stéphane Lochner, «fifre et tambour» de Dürer, «Juno et Argus», peinture mythologique de Rubens, un auto-portrait du vieux Rembrandt, des œuvres de maîtres italiens, de la peinture baroque française ou encore «St. François dans la chapelle Portiuncula» de Murillo, des tableaux du peintre colonais Wilhelm Leibl, puis des Cézanne, Renoir, Monet et van Gogh ne sont que quelquesuns des trésors qui ont fait la réputation du musée Wallraf-Richartz. S'y ajoute une importante collection de sculptures et d'estampes où on trouve p.e. des dessins de Dürer, de Raffael et de Léonard da Vinci. Outre le musée Wallraf-Richartz le nouveau complexe entre la cathédrale et le Rhin abrite: le musée Ludwig, la philharmonie de Cologne, une partie de la bibliothèque muséale et d'art (une bibliothèque d'art publique), la cinémathèque municipale, un cinéma d'art à la manière des cinémas communaux, puis le 'Agfa-Foto-Historama' qui se trouve dans des salles faisant la jonction entre le musée Wallraf-Richartz et le musée Ludwig et souligne ainsi la place dans l'histoire de la photographie. Cette collection internationalement connue regroupe des photographies (focus: 19° siècle), des caricatures, des documents et des caméras. Avec la collection de photos du musée Ludwig (20° siècle) c'est donc un dossier de la photographie des débuts jusqu'à nos jours.

Le musée Ludwig

Le musée Ludwig se partage avec le musée Wallraf-Richartz l'édifice nouveau entre la cathédrale et le Rhin. Ce sont encore une fois des mécènes particuliers qui ont empreint ce musée. Par une généreuse donation le professeur Peter Ludwig, citoyen d'honneur de Cologne, et son épouse Irene ont contribué à ce que ce musée surprenne par une vue d'ensemble plutôt rare de l'art du 20° siècle. Dans ce domaine il compte parmi les plus importants du monde.

Peu après 1945 le Colonais Joseph Haubrich – la place devant la ‹Kunsthalle› au centre porte son nom – avait fait don à la ville de sa collection d'art moderne; elle comprenait de nombreuses œuvres que les Nationalsocialistes avait tenu pour «dégénérées» et qu'il avait pu mettre à l'abri.

L'inventaire complété au cours des années par la municipalité, va des classiques des années vingt aux œuvres les plus récentes dont un texte du musée nous dit: «nous avons encore du mal à les comprendre; mais il s'y trouve peut-être déjà le Picasso de demain».

Des expressionistes allemands, les Kirchner, Heckel, Nolde, Barlach, des tableaux de Picasso, de Chagall, de Braque, de Matisse, des Beckmann, Ernst, Klee et Arp constituent la base de l'art des années soixante, du pop-art et des mouvements précurseurs. Le musée Ludwig à Cologne possède sans doute la plus importante collection d'œuvres de Jasper Johns, de Rauschenberg et d'Oldenburg; s'y ajoutent d'autres Américains, les Warhol, Lichtenstein et Wesselmann. Puis une collection d'estampes et une importante collection internationale documentant la photographie du 20° siècle. Il est prévu d'y intégrer une collection de vidéo-art.

Römisch-Germanisches Museum

Le musée romain-germanique est bâti sur les fondations d'une villa romaine dont le sol est fait de la célèbre mosaïque de Dionysos. Son inauguration en 1974 avait un retentissement bien au-delà de la région de Cologne. En dix ans on a pu compter quelques dix millions de visiteurs. Ce succès est sans doute aussi le fruit d'une présentation inhabituelle. A partir de la place de la cathédrale, jour et nuit, une grande baie vitrée ouvre la vue sur cette mosaïque et sur le grand tombeau du légionnaire romain Poblicius. Des trouvailles romaines ‹montent la garde› autour du musée. Les salles invitent à découvrir l'histoire en promenade. L'intéressé peut, s'il le veut, en savoir plus sur tel et tel aspect, grâce aux informations d'un système didactique étudié.

Des joyaux de l'archéologie et des ustensiles de la vie de tous les jours donnent une image vivante de l'époque romaine et de la protohistoire dans la région de Cologne. Le musée, simultanément lieu de recherche et archives de l'héritage archéologique, réserve au visiteur de nombreuses trouvailles de l'ère primitive de l'humanité. Il contient encore la plus importante collection de vases en verre de l'Antiquité, tel un précieux verre ‹ajouré›. Un vrai bijou, la miniature de la tête de l'empereur Auguste. Dans la trésorerie on expose des parures des époques des grandes migrations. Nul autre musée en Europe de l'ouest possède une aussi grande collection de parures provenant de tribus de cavaliers nomandes.

Une section qui met bien en èvidence le concept du musée, nous familiarise avec la vie de tous les jours dans une ville romaine; p. e. dans une cuisine, dans un réfectoire où les ustensiles sont disposés tels qu'ils étaient en usage à l'époque, le visiteur se sentira comme l'invité dans une villa romaine.

Kölnisches Stadtmuseum

Une section de ce musée témoignant de l'histoire de la ville porte le titre: «autant qu'il nous en souvienne». Après réfection et ré-ouverture en 1984 avec un concept nouveau, c'est dans cette section que l'histoire récente revit par les extraits de journaux exposés: sur l'après-guerre, la Troisième Reich, le temps que Konrad Adenauer était président du Conseil de la ville, sur la 1° guerre mondiale. Ici comme ailleurs dans ce musée le visiteur trouvera des objets disparus aujourd'hui qui, il y a quelques années, ont encore fait partie de sa vie. Les temps passent.

Une autre section met en exergue ce que le visiteur, consciemment ou inconsciemment, associe à Cologne: l'eau de Cologne, le carnaval, les ‹flûtes› dans lesquelles on boit la bière locale, la «Kölsch», une des toutes premières automobiles Ford construite à Cologne ou encore le «Hänneschen», le plus ancien théâtre de marionettes dans les régions de langue allemande.
Puis les souvenirs deviennent histoire. Des maquettes, des tableaux, des ustensiles, des œuvres d'art et des documents témoignent de la vie d'antan, rappellent l'apogée au Moyen-Age, le déclin économique s'ensuivant; puis la fierté des Colonais, leurs conflits avec des seigneurs ecclésiastiques ou laïques, leur charte de la ville, mais aussi la corruption et la coterie. Et partout des traces comment ont vécu les gens à Cologne – les gens aisés, cela va de soi, car la pauvreté n'a jamais laissé que peu de traces.
Le musée de la ville a toujours du nouveau, telle cette collection de phonographes et de machines parlantes, mise récemment à la disposition de la maison. Il y a des expositions spéciales commémorant le plus souvent des dates de l'histoire de la ville et... la galerie des «têtes de Cologne» est bien une matière à suivre!

Le musée Schnütgen

De tous les musées de Cologne c'est sans doute ici qu'on trouve la meilleure ambiance. Edifice et objets exposés ne font qu'un: le «Schnütgen-Museum» d'art médiéval, un art qui, ici, va de la fin de l'Antiquité au 19° siècle, se trouve depuis 1956 dans l'église romane Sainte Cécile. Un aménagement transparent conserve cette impression d'espace d'une basilique du 12° siècle.
Le musée doit son origine à une fondation faite en 1906 par le chanoine colonais Wilhelm Alexander Schnütgen. Ordonné prêtre en 1866, le vicaire de la cathédrale de Cologne avait parcouru la région de Cologne jusuq'aux confins de la Westphalie et de la Basse Saxe, à la recherche de trésors cachés. Il les trouvait dans des hôtels particuliers aussi bien que dans des églises. Ce collectionneur féru, presque fanatique fut comblé d'honneurs; il fut nommé docteur honoris causa à Louvain, professeur à Bonn et citoyen d'honneur à Cologne. Des directeurs de musée tels Fritz Witte, Hermann Schnitzler et Anton Legner ont réussi à inéresser mécènes et promoteurs, afin d'enrichir inlassablement les stocks.
Le musée est ainsi devenu un important témoin de l'histoire médiévale de l'art et de la culture surtout du christianisme. Focus du trésor rhénan: des tableaux de l'époque romane, de l'époque gothique des sculptures de la madone d'artistes colonais, des objets d'orfèvrerie et d'ébénisterie, de précieux tissus, des peintures sur verre, des ustensiles liturgiques et autres. Le contexte avec la vie religieuse au Moyen-Age est mis en exergue.
Puis on souligne des phénomènes essentiels: le changement du concept sculptural, le rôle des ustensiles liturgiques qui se traduisait par la valeur du matériau choisi, l'importance des livres sacrés en fonction de leur ornementation ou le culte des reliques et ses répercussions.
Le musée Schnütgen fait toujours parler de lui, par d'importantes expositions spéciales qui attirent le public tant national qu'international.

Le trésorerie de la Grande Cathédrale

La trésorerie se trouve dans deux travées de la nef-est de la cathédrale. L'entrée se trouve dans le transept nord.
La trésorerie n'est pas un simple musée, elle est plutôt le trésor de la sacristie. Tout ce que l'on voit ici a servi ou sert toujours dans la liturgie. Le trésor reflète l'histoire mouvementée de la cathédrale. Les ustensiles les plus anciens appartiennent depuis plus de 1000 ans à la cathédrale. Selon les documents le trésor était nettement plus grand. Les vicissitudes de l'histoire l'ont rongé ou gonflé. Ce que nous voyons aujourd'hui est ce qui a résisté aux manigances et aux vols des siècles. C'est toujours un trésor d'une immense valeur qui comprend des ustensiles religieux, des calices, des ostensoirs, des châsses, des vêtements liturgiques, des manuscrits et la soie ayant jadis contenu les ossements des Trois Rois Mages (2ᵉ et 3ᵉ siècles).

Erzbischöfliches Diözesan-Museum

Le musée diocésain archi-épiscopal occupe une position particulière. Les autres musées s'occupent tous de secteurs spéciaux, tandis que le musée ecclésiastique embrasse des ustensiles de tous les domaines de la vie religieuse. Après la fondation en 1853 d'une amicale chrétienne de l'art, suite à une initiative du suffragat, le cardinal Geissel autorisa la fondation du musée diocésain. Il est le deuxième musée en âge, après la collection de Ferdinand Franz Wallraf. Un ordre du cabinet royal octroya au musée, inauguré en 1860, les droits d'une personne juridique. Le musée est resté dans la même maison jusqu'à la déstruction de celle-ci durant la seconde guerre mondiale. En 1972 la plupart des stocks qu'on avait réussi à préserver de la déstruction, ont pu être exposés de nouveau dans le nouvel immeuble dans le voisinage immédiat de la cathédrale.
Figurines et pièces de parement sont évidemment une partie importante de la collection, tels les apôtres devant le portail de St. Pierre, des prophètes et des anges, des sculptures de madone, des gargouilles et des chapiteaux. Ces pièces d'une grande valeur culturelle et artistique sont ainsi à l'abri de l'érosion et conservées pour les générations à venir.
A côté de grandes œuvres d'art de la peinture et de la sculpture le musée montre des détails importants de l'archéologie chrétienne, de l'architecture, des arts appliqués et des traditions religieuses populaires. Le résultat: l'histoire d'une culture chrétienne. Dans le musée même et en étroite collaboration avec lui, la recherche bat son plein. Ainsi ces joyaux ne font pas la seule joie des touristes, mais aussi des chercheurs et des profanes amateurs.

Museum für Angewandte Kunst – Musée des arts appliqués

fondé en 1888 sous le nom de «musée des arts et métiers» (Kunstgewerbemuseum)

Le Musée des arts appliqués – fondé en 1888 sous le nom de «musée des arts et métiers» est un des plus anciens musées de la ville. Cette initiative de citoyens de la ville était censé enrichir les arts appliqués par des impulsions nouvelles, de former le goût. C'est bien dans ce but qu'on a réuni une vaste bibliothèque spécialisée et une importante collection de tailles d'ornementation.
Les visées ont changé au fil des années; le musée s'ouvrait à un public plus large, avec une importante collection de produits de grès: céramique, majolique, fayence et porcelaine; des collections d'objets en verre, de tissus et de meubles s'y ajoutaient. L'ameublement historique des pièces familiarise le visiteur avec la vie d'époques révolues.
Le musée expose des objets d'art appliqué du Moyen-Age jusqu'à nos jours. Le ‹style nouveau› y prend une large place.
Encore récemment des citoyens de la ville ont fait don au musée de collections entières et de pièces d'héritage. Les stocks grossissaient. Mis à l'abri à temps ils ont pu être préservés dans la presque totalité des déstructions de la 2° guerre mondiale. L'édifice abritant le musée et achevé en 1900, une donation de l'industriel Otto Andreae, a été réduit en cendres.
Après la guerre le musée trouvait un refuge

provisoire dans une maison historique restaurée, la «Overstolzenhaus» dans la cité. Par manque de place on ne pouvait même pas exposer les pièces les plus belles et les plus importantes. Mais, à intervalles réguliers, on présentait au public les stocks et des tendances nouvelles. La construction entre la cathédrale et le Rhin d'un édifice nouveau pour les musées Wallraf-Richartz et Ludwig incita la ville à octroyer le bâtiment dégagé «An der Rechtsschule» au musée des arts et métiers. En même temps, le conseil de la ville convertit l'institut en 'musée des arts appliqués'.

Le musée de l'art d'Asie Orientale

En pleine verdure et à quelques centaines de mètres seulement du centre: c'est un monde inconnu qui s'ouvre au visiteur. Face à des bosquets et des prés au bord de l'étang «Aachener Weiher» le musée de l'art d'Asie orientale se blottit dans le paysage. La construction basse aux briques brunes cuites au Japon est l'œuvre d'un des architectes les plus connus au Japon. Kunio Mayekawa en a présenté les plans en 1966, l'inauguration s'est faite en 1977. De grandes fenêtres ouvrent la vue sur un charmant jardin japonais et, au-delà de l'étang, sur le panorama de la ville. Cologne avait déjà inauguré un musée d'Asie orientale en 1913. Après l'échec qu'ils avaient essuyé à Berlin et à Kiel, le professeur Adolf Fischer et son épouse avaient obtenu gain de cause à Cologne. A l'époque les œuvres d'art de Chine, du Japon et de Corée n'étaient présentées que dans des musées éthnologiques ou d'art appliqué.
Au cours d'un voyage autour du monde Adolf Fischer avait échoué en Extrême Orient où il restait de longues années. Au cours de leur existence aventurière en Chine et au Japon le couple Fischer acquérait des expériences particulières qui les préservaient d'être les victimes de commerçants retors ou d'habiles faussaires.
Entr'autres, le musée héberge une collection unique de sculptures bouddhistes en bois, des joyaux de la céramique, des ouvrages en laque de Chine, des tissus, des trouvailles pré- et protohistoriques, puis des estampes choisies. Sa bibliothèque en matière d'archéologie et d'histoire de l'art de l'Extrême Orient est sans doute la meilleure en Allemagne fédérale.
Les œuvres d'art, aussi charmantes qu'elles puissent paraître au visiteur, sont rédigées en une langue «inconnue», selon le directeur du musée. Dans la présentation on insiste donc particulièrement sur une approche didactique.

Le musée Rautenstrauch-Joest

Ce musée ethnologique doit, lui aussi, son existence à des mécènes particuliers: au professeur Wilhelm Joest, globe-trotter et journaliste, puis au couple Adele et Eugen Rautenstrauch qui non seulement firent don à la ville de leur collection et de celle de Wilhelm Joest décédé lors d'une expédition, mais encore des moyens financiers nécessaires pour construire, au tournant du siècle, sur le boulevard ‹Ubierring› un édifice approprié. Le musée se trouve toujours dans le même bâtiment, reconstruit en 1967 sur des parties restées intactes pendant la guerre.
C'est la conception des expositions qui a changé. Plus que par le passé le musée se fait le défenseur des cultures outre-européennes, souvent sans littérature, met en évidence que ces cultures ne sont point inférieures à notre civilisation «technique»; par la comparaison des cultures il veut encourager la réflexion critique sur notre forme de vie. Quelques 60.000 pièces exposées font de cette maison, inaugurée en 1906, un des plus grands musées d'éthnologie en Allemagne. En Rhénanie du Nord/Westphalie il est le seul.
Ainsi on met en lumière des cultures du continent africain, p. e. par des insignes éminemment artistiques, tel ce trône tout en perles d'un roi du Cameroun, des cultures de l'ère précolombienne en Amérique, p. e. par des ouvrages d'or du vieux Pérou, ou des Indiens de l'Amérique du Nord. On apprend beaucoup ici sur la vie avec la nature, sur les concepts religieux et sur la situation actuelle des Indiens. Une collection mérite une attention particulière: celle d'Indonésie avec sa culture nécromancienne et l'accoutrement intégral d'un prêtre-magicien.
L'Extrême Orient, la région du Pacifique et l'Asie du Sud sont d'autres sections largement documentées.
Le musée réussit toujours à impressionner et public et promoteurs, par des spectacles, par des expositions spéciales ou par des concerts interprétés à chaque fois par des interprètes de la région.

Musée Käthe Kollwitz

Le musée Käthe Kollwitz est le plus récent des musées de la ville et un des rares en République fédérale d'Allemagne à se consacrer à un seul artiste. Inauguré en 1985 à l'occasion du 40e anniversaire de la mort de Käthe Kollwitz, il possède dores et déjà une collection unique au monde constituée de 135 dessins faits à la main, de plus de 180 lithographies et de 15 bronzes. Le visiteur aura ainsi une vue d'ensemble de l'oeuvre de l'artiste.
La base de la collection: un ensemble de dessins faits à la main; le musée possède de merveilleuses feuilles illustrant parfaitement les différentes périodes de cette femme-peintre: d'intimes dessins à la plume des premières années, des ébauches d'importantes lithos élucidant le processus artistique, puis d'expressifs fusains surtout de la dernière période. Des nus et des scènes d'amour que l'on ne connut qu'après la mort: madame Kollwitz les considéra comme ses meilleurs dessins, à côté de dessins ayant pour thème la mort et dont le musée à Cologne montre d'impressionnants exemples d'une rare sensibilité artistique. Le clair-obscur dans sa peinture des premières années se transforme progressivement en puissants traits au fusain ou au crayon, une chemin qui mène sans ambages aux lithos des années vingt et trente.
Käthe Kollwitz est devenue célèbre par ses lithographies dont elle a constitué une partie en cycles, dans la meilleure tradition des Goya et Klinger. Les tout premiers – la «révolte des tisserands» d'après la tragédie de Gerhart Hauptmann, puis la «guerre des paysans» mettent en exergue sa maîtrise de la pointe et du crayon gras. Des cycles expressifs gravés sur bois «guerre» et «prolétariat» des années vingt sont grandiosement complétés par un cycle sur la «mort» des dernières années. S'y ajoutent des feuilles de grande valeur, des affiches de la Kollwitz, aussi connues que rares aujourd'hui.
L'oeuvre sculpturale – celle qui est accessible aux musées – est présente dans quelques bronzes particulièrement beaux des premières années. Ici comme dans ses gravures prédominent la guerre et la mort, puis le thème mère-enfant.
L'approche scientifique de l'oeuvre de Madame Kollwitz sera facilitée par des expositions bi-annuelles sur des artistes ou des sujets ayant un rapport avec cette oeuvre; s'y ajoutera une bibliothèque spéciale que l'on est en train de mettre sur pied et une collection de films.
Ainsi le musée Käthe Kollwitz est devenu un autre pôle d'attraction au centre de Cologne; dans le siège principal de la caisse d'épargne une surface de bureau de 800 mètres carrés fut transformée en musée. En automne 1988 le musée trouvera tout près son foyer définitif.

Apercu historique

7000 av. J.-Ch.
Une hachette en pierre découverte dans le quartier de Brück, sur la rive droite ainsi que d'autres trouvailles préhistoriques témoignent de colonies fort anciennes dans la région de Cologne.

38 av. j.-Ch.
Fondation de l' «oppidum Ubiorum». Les Ubiens vivant ici avaient été transférés par les Romains de la rive droite sur la rive gauche.

50 après J.-Ch.
A la demande d'Agrippina minor, fille du général Germanicus, l'empereur romain Claudius, son mari accorde à la colonie ubienne où elle est née, ses droits de cité, sous le nom de Colonia Claudia Ara Agrippinensium (CCAA). Colonia, Cologne, devient Köln en allemand.

313
Première évocation à Cologne d'un évèque chrétien: Maternus. On ignore cependant à quand remonte la première communauté chrétienne de la ville.

321
L'empereur Constantin octroye des privilèges aux Juifs de la ville, notamment celui de se faire élire au conseil de la ville.

Vers 800
L'empereur Charlemagne élève Cologne au rang d'archévêché. A partir de 1028 l'archévêque de Cologne a le droit de couronner le roi d'Allemagne à Aix-la-Chapelle.

1074
Des commerçants de Cologne se révoltent contre l'archévêque Anno. Ils l'expulsent de la ville, mais il revient pour réprimer brutalement la révolte.

1149
Première mention de l'hôtel de ville de Cologne; déjà à l'époque il se trouvait à l'endroit de l'hôtel actuel.

1164
L'archévêque Rainald von Dassel transfère de Milan à Cologne les ossements des Rois Mages.

1248
Pose de la première pierre pour la cathédrale gothique.

1248
Fondation à Cologne par les Dominicains des «études génerales», un précurseur de l'université de Cologne.

1259
Cologne reçoit droit de comptoir. Toute marchandiese transportée sur le Rhin doit être transbordée à Cologne. Les commerçants de la ville ont le droit de préemption.

1288
Bataille de Worringen. L'archévêque perdant son pouvoir séculier est sensiblement restreint.

1388
Le pape Urban IV autorise la fondation d'une université citadine.

1396
Elaboration de la charte de Cologne. Ne jouissent du droit de cité que ceux qui sont membres d'une corporation. Les édiles sont élus par les 22 associations corporatives.

1396
Première mention de la bière «Kölsch», une bière locale à fermentation élevée.

1437–1444
Construction du «Gürzenich», somptueuse salle de danse et de fête. C'était un des premiers bâtiments à être reconstruit après la guerre.

1475
Cologne est déclarée ville impériale libre. Frédéric III signa la lettre de privilège et déchargea la ville du serment d'allégeance envers l'archévêque. Déjà en 1474 l'empereur avait accordé à la ville le droit irrévocable de battre monnaie.

1709
Johann Maria Farina commence la production de son «aqua mirabilis», dont la réputation mondiale sous le nom de «eau de Cologne» ne se fit pas attendre.

1794
Les troupes de Napoléon entrent dans la ville; en 1801 Cologne est rattachée à la France.

1797
Les protestants discriminés jusque là, peuvent acquérir le droit de cité. En 1802 ils ont leur premier Temple dans la ville.

1798
Les Juifs si souvent traqués reviennent à Cologne.

1798
Les Français ferment l'université de Cologne après le refus de quelques professeurs de leur prêter le serment de fidélité.

1814
Après 20 ans de commandement les Français se retirent.

1815
Après le Congrès de Vienne Cologne fait partie de la Prusse.

1823
Le carnaval de Cologne qui s'était dégradé est réformé. Un comité organisateur des festivités est fondé, le précurseur de l'actuel «comité des fêtes du Carnaval de Cologne».

1839
Cologne a son premier chemin de fer.

1842
Karl Marx est rédacteur du journal «Rheinische Zeitung».

1842
Frédéric Guillaume IV de Prusse pose la première pierre pour la poursuite des travaux de la cathédrale.

1854
Fondation dans le quartier de Kalk de la première grande usine chimique dans la ville de Cologne.

1855
La ville a plus de 100 000 habitants. Le nombre a doublé en 40 ans.

1860
Inauguration du jardin zoologique.

1861
Inauguration du musée Wallraf-Richartz.

1867
Nicolaus August Otto, inventeur du moteur à combustion, appelé ‹moteur Otto› en Allemagne, se voit attribué à l'exposition mondiale de Paris une médaille d'or pour ce moteur construit alors à Deutz, un faubourg de Cologne.

1880
La cathédrale est achevée.

1881
Le rempart médiéval de Cologne est démoli. La nouvelle ville voit le jour de l'autre côté du boulevard périphérique.

1888
Des intégrations communales de grande envergure créent les bases d'une métropole moderne dont l'essor favorise aussi l'implantation d'industries modernes. Sont rattachées à la ville de grandes parties de la ville d'Ehrenfeld, autonome jusque là, et de la commune de Rondorf, tels les quar-

tiers de Marienburg, de Zollstock et de Bayenthal. Font également partie de Cologne: Nippes, Müngersdorf, Weidenpesch, une partie de Longerich et d'Efferen ainsi que, sur la rive droite, Deutz et Poll. D'autres intégrations importantes suivent en 1914 et 1922. En 1975 Cologne dépassse le chiffre d'un million d'habitants; pas pour longtemps, car la ville de Wesseling intégrée au même titre que d'autres communes (p.e. Porz), regagne son autonomie devant les tribunaux.

1898
Les Ets. Gottfried Hagen de Cologne construisent une automobile électrique, la première sur 1500. La production est arrêtée en raison du manque d'un réseau de courant couvrant la ville.

1901
Une donation de Gustave von Mevissen, industriel et pionnier des chemins de fer, permet la fondation d'une haute école commerciale. Peu après on y annexe une ‹académie de médecine pratique›. Les efforts d'une nouvelle fondation de l'université échouent.

1917
Konrad Adenauer devient premier maire de la ville. Durant son administration, les nazis y mirent fin en 1933, l'incorporation communale fit de Cologne la ville la plus importante sur le Rhin. Sous son égide l'on aménageait p.e. la «ceinture verte», le stade, puis le Salon de la ville. Il fit venir à Cologne la radiodiffusion «Reichssender Köln» et les automobiles Ford.

1919
Réouverture de l'université. Cette fondation citadine ne passa sous l'autorité du Land qu'après la IIe guerre mondiale.

1924
Fondation du Salon de Cologne; cette Foire se fit dès 1928 une réputation internationale avec la «Pressa».

1931
La première automobile Ford quitte la chaîne de fabrication.

1945
A la fin de la IIe guerre mondiale la cité est détruite à près de 90%. Sur les 252 000 demeures que comptait la ville seules 52 000 ne sont pas endommagées. Il faut déblayer 30 millions de mètres cube de débris.

Fotonachweis:
Die Fotos für dieses Buch wurden aufgenommen von Celia Körber-Leupold.
Zusätzliche Abbildungsvorlagen stellten freundlicherweise zur Verfügung:
Colonia-Lebensversicherung – S. 159 oben.
Rainer Gaertner DGPh – S. 28, 214, 215, 216 links, oben, unten rechts, 217, 220, 221. Horst Heidrich – S. 159 unten rechts. Alfred Koch – S. 84, 85 oben. Wolfgang F. Meier – S. 216 unten Mitte. Rheinisches Bildarchiv der Stadt Köln – S. 204–213, 218, 219, 222, 223, 226 Mitte, rechts, 227 links, rechts oben. Tecta Köln – S. 158. Verkehrsamt der Stadt Köln/Claasen – S. 227 rechts unten, –/Rhein. Bildarchiv – S. 226 links, –/Rudolph – S. 159 unten links.

Abb. S. 225 – Johannes Koelhoff (Sohn), Ansicht der Stadt Köln mit Deutz, 23. August 1499, aus »Cronica van der hilliger Stat van Coellen«; diese Stadtansicht ist im Orginalband seitenverkehrt wiedergegeben.

Abbildungen auf dem Schuber:
Vorderseite – Rheinpanorama, s. S. 78/79
Rückseite – Innenhof des Farina-Hauses in der Nachbarschaft des Rathauses

Vorsatz vorne und hinten: Eintragungen aus dem Goldenen Buch der Stadt Köln

Graphische Gestaltung: Gerhard Keim, Frankfurt
Englische Übersetzung: Barry Jones
Französische Übersetzung: Georges Wagner-Jourdain

CIP-Kurztitelaufnahme der Deutschen Bibliothek

Körber-Leupold, Celia:
Köln : e. grosse Stadt in Bildern / Celia Körber-Leupold ; Klaus Zöller. – Köln : Greven, 1987.
ISBN 3-7743-0227-8

NE: Zöller, Klaus:

Druck: Greven & Bechtold GmbH, Köln
Buchbinder: Berenbrock, Wuppertal

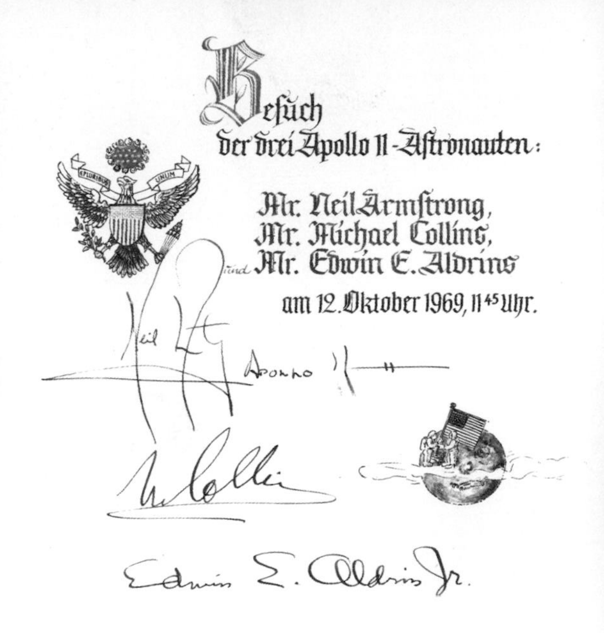

Besuch
der drei Apollo 11-Astronauten:

Mr. Neil Armstrong,
Mr. Michael Collins,
und Mr. Edwin E. Aldrin
am 12. Oktober 1969, 11.45 Uhr.

BESUCH
Ihrer Majestät
KÖNIGIN FABIOLA
Königin der Belgier

am 28. April 1971.

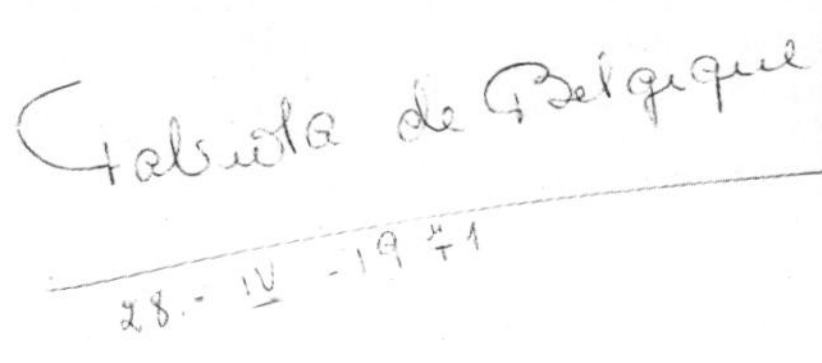

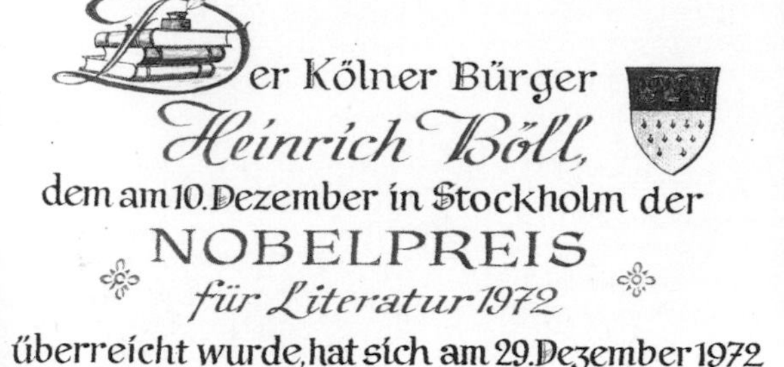

Der Kölner Bürger
Heinrich Böll,
dem am 10. Dezember in Stockholm der
NOBELPREIS
für Literatur 1972
überreicht wurde, hat sich am 29. Dezember 1972
in das Goldene Buch der Stadt Köln eingetragen.

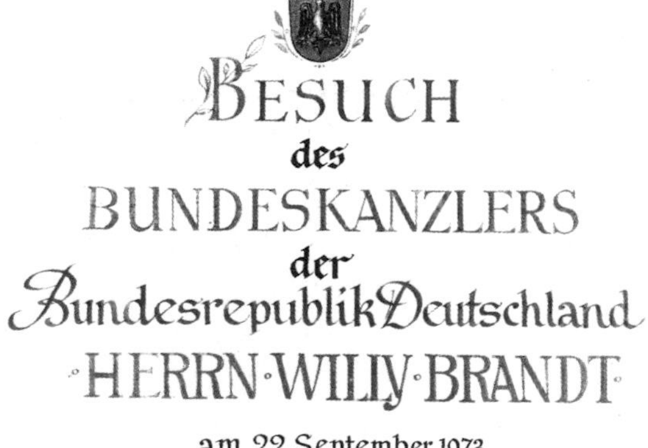

BESUCH
des
BUNDESKANZLERS
der
Bundesrepublik Deutschland
HERRN WILLY BRANDT
am 22. September 1973

Besuch
von
HENRY FORD II
am 24. Juni 1980
im Historischen Rathaus
der Stadt Köln.

With appreciation and gratitude

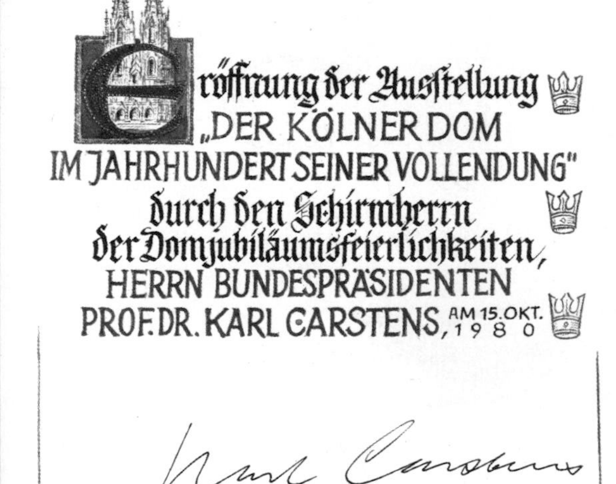

Eröffnung der Ausstellung
„DER KÖLNER DOM
IM JAHRHUNDERT SEINER VOLLENDUNG"
durch den Schirmherrn
der Domjubiläumsfeierlichkeiten,
HERRN BUNDESPRÄSIDENTEN
PROF. DR. KARL CARSTENS, AM 15. OKT. 1980